Jedenaście minut

Paulo Coelho

Jedenaście minut

Przełożyli
Basia Stępień
Marek Janczur

tytuł oryginału
Onze minutos

koncepcja graficzna
Michał Batory

zdjęcie autora
Joanna Góra

redakcja i korekta
Katarzyna Malinowska

przygotowanie do druku
PressEnter

wydawca dedykuje tę książkę
zakochanym w życiu

Drzewo Babel
ul. Litewska 10/11 • 00-581 Warszawa
www. drzewobabel. pl
listy@drzewobabel.pl

ISBN 83-918441-2-9

Dwudziestego dziewiątego maja 2002 roku, kilka godzin przed ukończeniem tej powieści, pojechałem do Lourdes we Francji, by zaczerpnąć trochę wody z cudownego źródła. Byłem już na placu przed bazyliką, gdy pewien starszy pan zwrócił się do mnie: „Czy pan wie, że jest podobny do Paula Coelho?". Odpowiedziałem mu, że jestem Paulem Coelho. Wtedy uścisnął mnie serdecznie, przedstawił mi swoją żonę i wnuczkę, po czym wyznał, że moje książki są dla niego bardzo ważne. „Pozwalają marzyć" – podsumował. Bardzo często słyszałem to zdanie z ust moich czytelników i zawsze sprawiało mi wielką przyjemność. Jednakże w tamtej chwili odczułem żywe zaniepokojenie – wiedziałem, że *Jedenaście minut* porusza temat delikatny, kłopotliwy, szokujący. Podszedłem do źródła, zaczerpnąłem trochę cudownej wody, po czym zapytałem tego pana, gdzie mieszka (na północy Francji, w pobliżu belgijskiej granicy), i zapisałem jego nazwisko.

Tę książkę dedykuję Panu, Maurice Gravelines. Moją powinnością wobec Pana, Pańskiej żony, wnuczki i wobec samego siebie jest mówić o tym, co dla mnie ważne, a nie o tym, co wszyscy chcieliby usłyszeć. Niektóre książki rozbudzają nasze marzenia, inne przywołują nas do rzeczywistości, lecz każda winna odzwierciedlać to, co dla pisarza najistotniejsze: uczciwość pisania.

O Maryjo bez grzechu poczęta,
módl się za nami, którzy się do Ciebie uciekamy. Amen

A oto kobieta, która prowadziła w mieście życie grzeszne,
dowiedziawszy się, że [Jezus] jest gościem w domu faryzeusza,
przyniosła flakonik alabastrowy olejku i stanąwszy z tyłu
u nóg Jego, płacząc zaczęła łzami oblewać Jego nogi
i włosami swej głowy je wycierać.
Potem całowała Jego stopy i namaszczała je olejkiem.
Widząc to faryzeusz, który Go zaprosił, mówił sam do siebie:
„Gdyby On był prorokiem, wiedziałby, co za jedna
i jaka jest ta kobieta, która się Go dotyka, że jest grzesznicą".
Na to Jezus rzekł do niego: „Szymonie, mam ci coś powiedzieć".
On rzekł: „Powiedz, Nauczycielu".
„Pewien wierzyciel miał dwóch dłużników.
Jeden winien był mu pięćset denarów, a drugi pięćdziesiąt.
Gdy nie mieli z czego oddać, darował obydwom.
Który więc z nich będzie go bardziej miłował?".
Szymon odpowiedział: „Sądzę, że ten, któremu więcej darował".
On mu rzekł: „Słusznie osądziłeś".
Potem zwrócił się do kobiety i rzekł Szymonowi:
„Widzisz tę kobietę? Wszedłem do twego domu,
a nie podałeś Mi wody do nóg; ona zaś łzami oblała Mi stopy
i swymi włosami je otarła. Nie dałeś Mi pocałunku,
a ona, odkąd wszedłem, nie przestaje całować nóg moich.
Głowy nie namaściłeś Mi oliwą; ona zaś olejkiem
namaściła moje nogi. Dlatego powiadam ci:
Odpuszczone są jej liczne grzechy, ponieważ bardzo umiłowała.
A ten, komu mało się odpuszcza, mało miłuje".

Łukasz 7: 37-47

Jestem pierwszą i ostatnią,
Czczoną i nienawidzoną,
Jestem świętą i ladacznicą.
Małżonką i dziewicą.
Jestem matką i córką.
Ramieniem mojej matki jestem,
Bezpłodną, lecz moje potomstwo jest niepoliczone.
Zamężną i panną jestem,
Jestem tą, która daje dzień i która
Nigdy nie wydała potomstwa.
Pocieszeniem w bólach porodowych jestem.
Jestem mężem i żoną.
Mąż mój do życia mnie powołał.
Matką swego ojca jestem,
Męża swego siostrą, on zaś synem moim odrzuconym.
Cześć mi oddawajcie,
Gdyż ja jestem gorszącą i wspaniałą!

Hymn na cześć Izydy, III lub IV wiek n.e.
odnaleziony w Nag Hamadi [tłum. Elżbieta Janczur]

Była sobie raz prostytutka Maria.
Chwileczkę. „Była sobie raz..." to najlepszy sposób, by rozpocząć bajkę dla dzieci, a o prostytutkach rozmawia się tylko między dorosłymi. Jak można rozpoczynać książkę od takiej oczywistej sprzeczności? No ale skoro w każdym momencie naszego życia jedną nogą tkwimy w świecie baśni, a drugą w otchłani piekieł, zachowajmy ten początek.

Była sobie raz prostytutka Maria.
Nikt nie rodzi się prostytutką. Jako dziecko była uosobieniem niewinności, a dorastając marzyła, że spotka mężczyznę swojego życia (bogatego, pięknego, inteligentnego), wyjdzie za niego za mąż (w białej sukni z welonem), będzie mieć z nim dwoje dzieci (które staną się sławne), zamieszka w pięknym domu (z widokiem na morze). Jej ojciec był komiwojażerem, a matka krawcową. W rodzinnym miasteczku w brazylijskim Nordeste było tylko jedno kino, jedna restauracja i jeden oddział banku. A jednak Maria z utęsknieniem wyczekiwała dnia, w którym książę z bajki pojawi się tu nagle, by ją oczarować i zabrać ze sobą na podbój świata.
Ale ponieważ książę z bajki się nie pojawiał, nie pozostawało jej nic innego, jak marzyć. Po raz pierwszy

zakochała się, kiedy miała jedenaście lat. Zobaczyła tego chłopca w drodze na rozpoczęcie roku szkolnego. Okazało się, że mieszka w sąsiedztwie i chodzi do tej samej szkoły. Nie zamienili ze sobą ani słowa, ale Maria spostrzegła, że najbardziej lubi te chwile w ciągu dnia, kiedy słońce praży najmocniej, a ona spragniona i zadyszana z trudem dotrzymuje kroku żwawo idącemu chłopcu.

Trwało to przez wiele miesięcy. Maria, która nie przepadała za nauką i całe dnie spędzała przed telewizorem, zapragnęła nagle, by czas płynął jak najszybciej. Nie mogła doczekać się poranka, wyjścia do szkoły i w przeciwieństwie do swych rówieśniczek uznała weekendy za śmiertelnie nudne. Jednak dzieciom czas płynie o wiele wolniej niż dorosłym. Maria cierpiała, a dni dłużyły się jej niemiłosiernie, bo mogła dzielić z ukochanym tylko dziesięć minut, tysiące innych zaś spędzała na rozmyślaniach o nim i wyobrażaniu sobie, jak by to było cudownie, gdyby mogli ze sobą porozmawiać.

Aż pewnego ranka chłopak podszedł do niej i poprosił, by pożyczyła mu ołówek. Maria wzruszyła ramionami i nie odezwała się ani słowem. Udała, że jest zagniewana zaczepką, i przyśpieszyła kroku. Tak naprawdę kiedy zobaczyła, jak ukochany kieruje się w jej stronę, była przerażona. Bała się, że wszystko wyjdzie na jaw. To, że go skrycie kocha, że czeka na niego, że marzy, by wziąć go za rękę, minąć szkolną bramę i pójść z nim w świat, tam gdzie, jak mówiono, znajdują się wielkie miasta, bohaterowie powieści, artyści, samochody, liczne sale kinowe i mnóstwo rzeczy do odkrycia.

Na lekcjach przez cały dzień była rozkojarzona. Złościła się na swoje niedorzeczne zachowanie, ale i cieszyła, że chłopiec również ją zauważył. Gdy podszedł blisko, dostrzegła pióro wystające z jego kieszeni. Ołówek był więc tylko pretekstem, by zacząć rozmowę. Tęskniła za tym chłopcem. Tej nocy – i podczas następnych – zaczęła układać sobie w duchu odpowiedzi, jakich mogłaby mu udzielić. Gorączkowo poszukiwała takiej, która stałaby się początkiem ich wielkiej miłości. Ale on już nigdy więcej się do niej nie odezwał. Nadal widywali się w drodze do szkoły. Maria nieraz szła kilka kroków przed nim, trzymając ołówek w prawej ręce, a niekiedy za nim, by móc się mu przyglądać z czułością. Lecz pozostawało jej jedynie kochać i cierpieć w milczeniu aż do końca roku szkolnego.

Podczas wakacji, które wydawały się nie mieć końca, obudziła się pewnego ranka z udami poplamionymi krwią i wpadła w rozpacz. Pomyślała, że umiera. Postanowiła zostawić chłopcu list pożegnalny, w którym wyznałaby mu swoją wielką miłość, a następnie zapuścić się na pustkowie i wydać na pastwę wilkołaka czy bezgłowej mulicy, dzikich bestii, które budziły postrach wśród okolicznych wieśniaków. Rodzice nie opłakiwaliby jej śmierci. Ubodzy nie tracą wiary pomimo tragedii, których nie szczędzi im los. Uznaliby, że została porwana przez zamożną, bezdzietną rodzinę i że powróci pewnego dnia w aureoli sławy i bogactwa. Natomiast obecnej (i dozgonnej) miłości jej życia nie udałoby się o niej zapomnieć. Chłopak każdego dnia wyrzucałby sobie, że już nigdy więcej się do niej nie odezwał.

Nie napisała jednak listu, gdyż matka weszła do pokoju, zobaczyła pokrwawioną pościel, uśmiechnęła się i powiedziała: „Teraz już jesteś panną, moja mała".

Maria była ciekawa, jaki związek ma krew, która wyciekała spomiędzy jej nóg, z byciem panną, lecz matka nie umiała jej tego wyjaśnić. Zapewniła tylko, że to całkiem normalne i że odtąd będzie musiała nosić podpaskę nie większą niż poduszka dla lalki przez cztery albo pięć dni w miesiącu. Maria zapytała, czy mężczyźni używają rurki, aby krew nie poplamiła im spodni, lecz usłyszała, że to się przydarza tylko kobietom.

Żaliła się Bogu, ale w końcu pogodziła się z miesiączkami. Nie pogodziła się jednak z nieobecnością chłopca i wciąż wyrzucała sobie własną głupotę, przez którą szczęście umknęło jej sprzed nosa. W przeddzień rozpoczęcia roku szkolnego weszła do jedynego w jej mieście kościoła i przyrzekła świętemu Antoniemu, że pierwsza odezwie się do chłopca.

Następnego dnia wyszykowała się pięknie, włożyła nową sukienkę, którą matka uszyła specjalnie na tę okazję, i wyszła, dziękując Bogu, że wakacje wreszcie dobiegły końca. Ale chłopiec się nie pojawił. Minął kolejny tydzień pełen obaw, zanim Maria usłyszała, że wyjechał z miasta.

„Wyjechał gdzieś daleko" – poinformował ją któryś z kolegów.

W ten sposób Maria dowiedziała się, że można coś utracić na zawsze. Dowiedziała się również, że istnieje miejsce zwane „daleko", że świat jest ogromny, a jej miasto małe i że ludzie najbardziej godni uwagi zawsze w końcu z niego wyjeżdżają. Ona też chciała wyjechać, ale była na to jeszcze za młoda. Patrząc na zakurzone ulice rodzinnego miasta przyrzekła sobie, że pewnego dnia wyruszy w ślad za chłopcem. Przez dziewięć kolejnych piątków, zgodnie z miejscową tradycją, przystępowała do komunii i modliła się żarliwie do Matki Boskiej, by pewnego dnia pomogła jej się stąd wyrwać.

Przez jakiś czas była przygnębiona, bo nie mogła natrafić na ślad chłopca. Nikt nie wiedział, dokąd wyprowadzili się jego rodzice. W końcu uznała, że świat jest zbyt wielki, miłość niebezpieczna, a Matka Boska zbyt wysoko w niebie, aby wsłuchiwać się w prośby dzieci.

Minęły trzy lata. Uczyła się geografii i matematyki, śledziła seriale w telewizji, potajemnie oglądała pisma erotyczne. Zaczęła prowadzić pamiętnik, w którym skarżyła się na swoją monotonną egzystencję i dawała upust pragnieniu poznania tego wszystkiego, o czym się uczyła – oceanu, śniegu, ludzi noszących turbany, eleganckich kobiet obsypanych biżuterią... Nie da się jednak żyć tylko marzeniami – zwłaszcza gdy ma się matkę krawcową i ciągle nieobecnego ojca. Maria szybko pojęła, że powinna zwracać baczniejszą uwagę na to, co się dzieje wokół. Uczyła się pilnie, by jakoś dać sobie radę w życiu, szukała bratniej duszy, kogoś z kim mogłaby dzielić marzenia o wielkich przygodach. Gdy miała piętnaście lat, zadurzyła się w młodzieńcu, którego spotkała na procesji podczas Wielkiego Tygodnia.

Nie powtórzyła błędu z dzieciństwa. Nawiązali znajomość, zostali przyjaciółmi, chodzili razem do kina i na tańce. Po raz wtóry stwierdziła, że miłość kojarzy się bardziej z nieobecnością niż z obecnością ukochanej osoby: wciąż brakowało jej chłopaka, całymi godzinami wyobrażała sobie, co mu powie na następnej randce, i rozpamiętywała każdą wspólnie spędzoną chwilę. Lubiła uchodzić za dziewczynę z doświadczeniem, która przeżyła już wielką miłość i zaznała bólu rozłąki. Była teraz zdecydowana walczyć z całych sił o tego młodego mężczyznę: to dzięki niemu zostanie żoną, matką i zamieszka w domu z widokiem na morze.

– Córeczko, jeszcze na to za wcześnie – mitygowała ją matka, słuchając o tych planach.

– Ale przecież kiedy ty wychodziłaś za ojca, miałaś szesnaście lat!

Matka, nie chcąc wyjawić, że stało się tak z powodu nieplanowanej ciąży, sięgnęła po odwieczny argument: „w tamtych czasach było inaczej".

Któregoś dnia wybrali się na spacer za miasto. Długo rozmawiali, a kiedy Maria spytała go, czy ma ochotę podróżować po świecie, nie odpowiedział, tylko wziął ją w ramiona i pocałował.

Był to jej pierwszy pocałunek w życiu. Od dawna marzyła o tej chwili! Krajobraz był urzekający – czaple w locie, zachód słońca, surowe piękno niemal bezludnej okolicy i dźwięki muzyki dobiegające z oddali. Maria przytuliła się do chłopca i zrobiła to, co tyle razy widziała w kinie i w telewizji: dość gwałtownie potarła ustami o jego usta, poruszając głową z boku na bok. Poczuła, że język chłopca dotyka jej zębów i było to rozkoszne.

Nagle przestał ją całować.

– Chcesz? – zapytał.

Cóż miała mu odpowiedzieć? Że chce? Oczywiście, że chciała! Lecz uważała, że kobieta nie powinna oddawać się pochopnie, zwłaszcza przyszłemu mężowi, gdyż przez resztę życia mógłby sądzić, że na wszystko łatwo się godzi. Wolała nie mówić nic.

Znów wziął ją w ramiona, tym razem już z mniejszym zapałem. I znów zesztywniał, czerwieniąc się jak burak. Maria czuła, że coś jest nie tak, lecz nie śmiała o to zapytać. Wzięła go za rękę i wrócili do miasta, rozmawiając o błahostkach, jakby nic się nie stało.

Tego wieczoru, pewna, iż doszło do czegoś poważnego, zapisała starannie dobranymi słowami w swoim pamiętniku:

Gdy spotykamy kogoś i zakochujemy się, myślimy, że cały wszechświat nam sprzyja. Tak jak dziś o zachodzie słońca. Ale jeżeli coś nie pójdzie po naszej myśli, wszystko rozpryskuje się niczym bańka mydlana i znika! Czaple, muzyka w oddali, smak jego ust. Jak piękno, które istniało chwilę wcześniej, może rozproszyć się tak szybko?

Życie płynie bardzo prędko: przenosi nas z raju w otchłanie piekieł, w ciągu paru sekund.

Następnego dnia spotkała się z przyjaciółkami. Wszystkie widziały, jak przechadzała się pod rękę ze swym „ukochanym". W końcu przeżyć wielką miłość to nie wszystko. Trzeba jeszcze sprawić, by inni wiedzieli, że jest się osobą bardzo pożądaną. Koleżanki były ciekawe, co się wydarzyło, a Maria, dumna jak paw, oświadczyła, że najlepszy był język muskający leciutko jej zęby. Jedna z dziewcząt wybuchnęła śmiechem.

– Nie otworzyłaś ust?
– Po co?
– Żeby wpuścić jego język.
– A co to za różnica?
– No bo tak się całuje.

Tłumiony chichot, niby współczujący wyraz twarzy, cicha zemsta dziewcząt, które nigdy nie miały sympatii. Maria robiła dobrą minę do złej gry. Zanosiła się śmiechem, choć w głębi duszy gorzko łkała. Przeklinała w myślach wszystkie filmy, które nauczyły ją zamykać oczy, przytrzymywać jedną ręką głowę partnera i kręcić głową na wszystkie strony, ale nie pokazały tego, co naprawdę istotne. Znalazła odpowiednią wymówkę (nie chciałam mu się oddawać od razu, bo nie byłam pewna, ale teraz wiem, że to mężczyzna mojego życia) i czekała na następną okazję.

Gdy trzy dni później na miejskiej zabawie ponownie zobaczyła chłopca, trzymał już za rękę jedną z jej przyjaciółek, tę samą, z którą rozmawiały o pocałunku. Maria udała, że spływa to po niej jak woda po kaczce. Trzymała się dzielnie do końca wieczoru. Plotkowała z koleżankami. Udawała, że nie widzi litościwych spojrzeń, które rzucały jej ukradkiem. Jednak po powrocie do domu nie mogła powstrzymać łez. Jej świat runął. Przepłakała całą noc. Cierpiała przez osiem miesięcy i doszła do wniosku, że miłość nie jest stworzona dla niej ani ona do miłości. Postanowiła wstąpić do zakonu, poświęcić resztę życia miłości do Boga, miłości, która nie pozostawia bolesnych ran w sercu. W szkole usłyszała o misjonarzach działających w Afryce i uznała, że to najlepszy sposób na życie dla kogoś, kogo ziemskie uczucia tak gorzko rozczarowały. Chciała zostać zakonnicą, nauczyła się udzielać pierwszej pomocy (podobno w Afryce umierało wielu ludzi), gorliwie uczestniczyła w lekcjach religii. Zaczęła sobie wyobrażać siebie jako świętą nowożytnych czasów, świętą ratującą ludzkie życie, zapuszczającą się śmiało w niebezpieczny busz pełen lwów i tygrysów.

Kiedy miała piętnaście lat, umiała już całować z otwartymi ustami i wiedziała, że miłość jest głównie źródłem cierpienia. Pewnego dnia, gdy czekała na powrót matki, przypadkiem odkryła masturbację. Już w dzieciństwie oddawała się tej przyjemności – do dnia gdy przyłapał ją na tym ojciec i przyłał jej kilka razy, nie siląc się na żadne wyjaśnienia. Maria nigdy nie zapomniała lania. Nauczyło ją, że nie powinna dotykać pewnych miejsc przy świadkach. Ponieważ nie miała własnego pokoju, szybko zapomniała o przyjemności, jaką dawała jej ta zabawa.

Aż do owego popołudnia, jakieś sześć miesięcy po pamiętnym pocałunku. Matka spóźniała się, Maria nie miała nic do roboty, ojciec właśnie wyszedł z przyjacielem, a w telewizji nie było nic interesującego. Zaczęła bacznie przyglądać się swemu ciału w poszukiwaniu jakichś włosków do depilacji. Odkryła mały pączek u góry sromu, zaczęła się nim bawić i już nie mogła się powstrzymać. Stawało się to coraz bardziej przyjemne. Całe jej ciało – a szczególnie to miejsce, którego dotykała – prężyło się z rozkoszy. Powoli wchodziła do raju, doznanie przybierało na sile. Poczuła, że widzi przez mgłę, przed oczami wirowały jej złociste iskierki. Wreszcie jęknęła i przeżyła swój pierwszy orgazm.

Orgazm! Rozkosz!

To było tak, jakby wzniosła się do nieba i powoli opadała ku ziemi na spadochronie. Jej ciało było zlane potem, lecz czuła się spełniona, rozpromieniona, naładowana energią. A więc to właśnie jest seks? Cudownie! Można rzucić w kąt pisma pornograficzne, w których wszyscy udają rozkosz, a na twarzy mają grymas bólu. Nie potrzeba mężczyzny, który pożąda ciała, lecz pogardza sercem kobiety. Mogła to wszystko robić sama! Spróbowała od nowa, wyobrażając sobie, że pieści ją znany aktor. Znów sięgnęła raju i zyskała jeszcze więcej energii. Gdy zaczęła się masturbować po raz trzeci, wróciła matka.

Maria poszła poplotkować z przyjaciółkami o swym odkryciu. Tym razem nie przyznała się jednak, że doświadczyła tego po raz pierwszy zaledwie kilka godzin wcześniej. Wszystkie – z wyjątkiem dwóch – wiedziały, o co chodzi, lecz żadna nie ośmieliła się mówić o tym głośno. Maria poczuła się nowatorką, liderką grupy. Wymyślając niedorzeczną zabawę w „intymne zwierzenia", poprosiła, by opowiedziały o swojej ulubionej metodzie masturbacji. Tym sposobem poznała różne techniki. Na przykład otulać się szczelnie kołdrą w pełni lata (jak twierdziła jedna z dziewczyn, pot ułatwia sprawę), dotykać czułego miejsca gęsim piórem (nie wiedziała, jak to miejsce się nazywa), pozwolić chłopcu, by zrobił to za nią (według Marii nie było to konieczne), wykorzystać kran bidetu (u niej w domu nie było bidetu, ale postanowiła przetestować to przy najbliższej sposobności).

W każdym razie gdy odkryła masturbację i zastosowała kilka technik wypróbowanych przez przyjaciółki, porzuciła myśl o życiu zakonnym. Masturbacja dawała jej wiele przyjemności, a jeżeli wierzyć religii, jest ciężkim grzechem. Od tych samych przyjaciółek dowiedziała się o rzekomych konsekwencjach onanizmu: krosty na twarzy, szaleństwo, a nawet ciąża. Pomimo tych zagrożeń nadal oddawała się zakazanej rozkoszy co najmniej raz w tygodniu, najczęściej w środę, gdy ojciec wychodził na karty.

Jednocześnie czuła się coraz mniej pewnie wobec mężczyzn – i coraz bardziej pragnęła opuścić miasto, w którym żyła. Zakochała się po raz trzeci, a potem czwarty, umiała się już całować, umiała pieścić ukochanych i przyjmować ich pieszczoty. Ale zawsze coś stawało im na przeszkodzie i znajomość kończyła się dokładnie w chwili, gdy Maria zaczynała wierzyć, że znalazła człowieka, z którym mogłaby spędzić resztę życia. W końcu doszła do wniosku, że mężczyźni przynoszą tylko cierpienie, kłopoty i rozczarowania. Pewnego popołudnia w parku, przyglądając się jakiejś matce bawiącej się z dwuletnim synkiem, postanowiła, że będzie nadal brać pod uwagę wyjście za mąż, dzieci i dom z widokiem na morze, lecz nigdy więcej się nie zakocha, gdyż uczucia wszystko psują.

Tak upłynęły jej lata dojrzewania. Maria stawała się coraz piękniejsza, a coś szczególnego w jej twarzy, jakaś tajemnicza melancholia przyciągała wielu mężczyzn. Spotykała się z tym czy tamtym, marzyła i cierpiała pomimo obietnicy, jaką sobie złożyła, że nie zakocha się już nigdy więcej. Podczas jednego z takich spotkań utraciła dziewictwo na tylnym siedzeniu samochodu: pieściła się ze swym przyjacielem żarliwiej niż zwykle, chłopak się podniecił, a Maria, znużona tym, że jest ostatnią dziewicą wśród koleżanek, oddała mu się. W przeciwieństwie do masturbacji, która unosiła ją do nieba, nie doznała nic oprócz bólu, a na dodatek strużka krwi zaplamiła jej spódnicę. Nic z magii pierwszego pocałunku, kiedy zobaczyła czaple w locie, zachód słońca, kiedy usłyszała muzykę w oddali...

Kochała się jeszcze z tym chłopcem parokrotnie, ostrzegając, że jej ojciec zabije go, kiedy odkryje, że córka straciła z nim cnotę. Traktowała go jak pomoc naukową, za wszelką cenę pragnąc pojąć, na czym polega owa rozkosz płynąca z aktu płciowego.

Na próżno. Masturbacja wymagała o wiele mniej wysiłku i odpłacała z nawiązką. Ale wszystkie pisma,

21

programy telewizyjne, książki, przyjaciółki, wszystko, absolutnie wszystko podkreślało doniosłą rolę mężczyzny. Maria pomyślała, że ma problemy seksualne, skupiła się pilniej na nauce i zapomniała na pewien czas o tym cudownym i strasznym uczuciu zwanym miłością.

Fragment pamiętnika siedemnastoletniej Marii:

*Zrozumieć miłość – oto mój cel. Gdy kochałam,
czułam, że naprawdę żyję. Wiem też, że wszystko, co
mam teraz, jakkolwiek może się wydawać ciekawe, nie
wzbudza we mnie entuzjazmu.* *Miłość jednak bywa okrutna. Widziałam, jak cier-
pią moje przyjaciółki, i nie chcę tego doświadczyć
na własnej skórze. Te same, które dawniej naśmiewały
się ze mnie i z mojej niewinności, teraz pytają, jak ja to
robię, że tak dobrze radzę sobie z mężczyznami. Uśmie-
cham się i zbywam je milczeniem, ponieważ wiem, że
lekarstwo jest gorsze od samego bólu: po prostu nie za-
kochuję się. Z każdym dniem widzę coraz wyraźniej,
jak bardzo mężczyźni są słabi, niestali, niepewni siebie,
dziwni... Zdarzało mi się odrzucać awanse ojców niektórych moich przyjaciółek. Wcześniej mnie to gorszy-
ło. Teraz myślę, że to nieodłączna część męskiej natury.*

*Choć moim celem jest zrozumieć miłość i choć nie-
raz cierpiałam za sprawą tych, którym oddałam serce,
muszę przyznać, że ci, którzy dotknęli mojej duszy, nie
rozbudzili mojego ciała, ci natomiast, którzy dotknęli
mojego ciała, nie poruszyli mojej duszy.*

Po ukończeniu szkoły średniej dziewiętnastoletnia Maria znalazła posadę sprzedawczyni w sklepie z tkaninami. Właściciel zakochał się w niej – wtedy już potrafiła posłużyć się mężczyzną, nie pozwalając się wykorzystać. Nigdy nie pozwoliła mu się dotknąć, choć zawsze była dla niego czarująca. Zdawała sobie sprawę z siły swojej urody.

Siła urody... Czym może być świat dla brzydkich kobiet? Miała przyjaciółki, na które nikt na tańcach nie zwracał uwagi, z którymi nikt nie rozmawiał. Dziewczyny te przywiązywały dużą wagę do najwątlejszego uczucia, jakim je obdarzono, rozpaczały w milczeniu, gdy je odtrącano, i starały się nie budować swej przyszłości na złudnej nadziei, że się komuś spodobają. Były bardziej niezależne, więcej czasu poświęcały sobie, lecz w mniemaniu Marii świat musiał się im wydawać nie do zniesienia.

Maria była świadoma swojej urody. Choć zazwyczaj puszczała mimo uszu przestrogi matki, tej jednej nie zlekceważyła: „Córeczko, uroda przemija". Dlatego trzymała pracodawcę na dystans, co przyniosło jej znaczną podwyżkę (nie wiedziała, jak długo uda się zwodzić go samą nadzieją, że pewnego dnia pójdzie z nim do łóżka, ale jak na razie dobrze zarabiała), nie licząc premii za godziny nadliczbowe (tak naprawdę wolał mieć ją przy sobie, obawiając się, że gdyby zaczęła wychodzić wieczorami, mogłaby stracić dla kogoś głowę). Pracowała dwadzieścia cztery miesiące bez przerwy, dzięki temu mogła wspomóc rodziców, no i – co za sukces! – zaoszczędziła dość pieniędzy, by zafundować sobie tydzień wakacji w mieście swych marzeń, w mieście artystów, perle Brazylii: Rio de Janeiro! Szef chciał jej towarzyszyć w podróży i pokryć wszystkie wydatki. Maria skłamała. Powiedziała mu, że matka zgodziła się puścić ją do jednego z najbardziej niebezpiecznych miast na świecie pod jednym warunkiem: miała zatrzymać się u kuzyna, który uprawiał dżiu-dżitsu.

– Poza tym nie może pan tak po prostu zostawić sklepu bez opieki – przypomniała szefowi.

– Nie mów do mnie „pan" – poprosił, a Maria dostrzegła, że w jego oczach tli się coś, co już znała: iskierka uczucia. Była zaskoczona, bo sądziła, że chodzi mu tylko o seks. A jednak jego wzrok mówił co innego: „Mogę ci ofiarować dom, rodzinę i bezpieczeństwo". Z myślą o przyszłości, postanowiła podsycać tę iskierkę.

Oświadczyła, że będzie tęsknić za pracą, którą tak lubi, i za ludźmi, których darzy ciepłym uczuciem (nie wymieniła nikogo z imienia, by nie rozwiać mgiełki tajemnicy, czy to jego właśnie ma na myśli). Obiecała, że będzie bacznie pilnować portfela i jego zawartości. Prawda była zupełnie inna: chciała, by nikt, absolutnie nikt nie zepsuł jej pierwszego tygodnia całkowitej wolności. Chciała popływać w morzu, obejrzeć witryny sklepów i pokazać nieznajomym, że jest wolna – na wypadek gdyby pojawił się książę z bajki, chętny porwać ją ze sobą w nieznane.

– Cóż to jest tydzień? – powiedziała, uśmiechając się kokieteryjnie. – Minie szybko i ani się obejrzymy, a będę z powrotem.

Zmartwiony pracodawca jeszcze trochę nalegał, ale

w końcu dał za wygraną. Postanowił się oświadczyć zaraz po jej powrocie. Nie chciał popsuć wszystkiego, pozwalając sobie na zbytnią śmiałość.

Maria spędziła dwie doby w autobusie. Wynajęła pokój w hotelu piątej kategorii w dzielnicy Copacabana. (Ach! Copacabana! Bajeczna plaża, błękitne niebo…). Zanim się rozpakowała, chwyciła bikini – ostatni nabytek – wciągnęła je na siebie i choć dzień był pochmurny, poszła prosto na plażę. Ocean napawał ją obawą, ale zdobyła się na odwagę i weszła do wody.

Nikt na plaży nie miał pojęcia, że był to jej pierwszy kontakt z oceanem, z boginią Iemanjá, prądami morskimi, spienionymi falami i z wybrzeżem Afryki rojącym się od lwów po drugiej stronie Atlantyku. Gdy wyszła z wody, zaczepiła ją kobieta sprzedająca kanapki, potem przystojny ciemnoskóry mężczyzna, który zapytał, czy ma wolny wieczór, oraz cudzoziemiec, który wprawdzie nie znał ani słowa po portugalsku, ale żywo gestykulując, zapraszał ją na kokosowe mleczko.

Kupiła kanapkę, bo nie umiała odmówić. Jednak obu mężczyzn zbyła milczeniem. Poczuła, że ogarnia ją smutek. Czemu teraz, gdy mogła wreszcie robić, co dusza zapragnie, zachowywała się tak żałośnie? Nie znajdując wytłumaczenia, usiadła na piasku, czekając, aż słońce wyjdzie zza chmur.

Wrócił obcokrajowiec z orzechem kokosowym dla niej. Była zadowolona, że nie musi z nim rozmawiać. Wypiła kokosowe mleczko, uśmiechnęła się, on również odpowiedział jej uśmiechem. To była wygodna forma kontaktu, do niczego nie zobowiązywała – jeden, drugi uśmiech – aż do chwili, gdy mężczyzna wyciągnął z kieszeni miniaturowy słownik w czerwonej okładce i powiedział ze śmiesznym akcentem: *bonita* – ładna. Uśmiechnęła się znowu. Szczerze mówiąc, wolałaby spotkać nieco młodszego i mówiącego w jej języku księcia z bajki.

Kartkując słownik, mężczyzna wydukał:
– Kolacja dziś? – I zaraz dorzucił: – Szwajcaria!
Po czym wypowiedział słowa, które niemal w każdym języku brzmią niczym chóry anielskie: „Praca! Dolary!".
Maria nie znała restauracji „Szwajcaria". Czy to możliwe, aby wszystko było tak łatwe i marzenia spełniały się tak szybko? Lepiej mieć się na baczności: bardzo dziękuję za zaproszenie, jestem zajęta i wcale nie zamierzam kupować dolarów.
Mężczyzna, który nie zrozumiał ani jednego jej słowa, zaczął tracić nadzieję. Zniknął na chwilę i wrócił z tłumaczem. Za jego pośrednictwem wyjaśnił, że pochodzi ze Szwajcarii (a więc to nie była restauracja, tylko jego kraj), chciałby zjeść z nią kolację i zaproponować dobrze płatną pracę. Tłumacz – portier z hotelu, w którym zatrzymał się ten mężczyzna – a zarazem jego pomocnik w interesach, dorzucił po cichu:
– Na twoim miejscu zgodziłbym się bez wahania. Ten facet to gruba ryba w show-biznesie. Przyjechał do Brazylii w poszukiwaniu nowych talentów. Mogę ci opowiedzieć o kilku osobach, które przyjęły już jego propozycję. Wiedz jedno: dziś są bardzo bogate. Założyły rodziny, a ich dzieciom nie grozi bezrobocie i włos im z głowy nie spadnie... W Szwajcarii robi się pyszne czekolady i świetne zegarki – dodał, by pochwalić się światowym obyciem.

Artystyczne doświadczenie Marii było co najmniej skromne: grała niewiastę sprzedającą wodę – niemą rolę w Męce Pańskiej, którą wystawiano zawsze podczas Wielkiego Tygodnia. Chociaż w autokarze nie zmrużyła oka, nie czuła zmęczenia. Była przejęta widokiem morza, znużona objadaniem się kanapkami i zakłopotana, bo w Rio nie znała absolutnie nikogo i chciała szybko spotkać jakąś bratnią duszę. Doświadczyła już sytuacji, w których mężczyzna dawał mnóstwo obietnic i nie spełniał żadnej, uznała więc, że ta historia z show-

-biznesem to pretekst, by ją poderwać. Udawała, że wcale jej nie obchodzi ta propozycja, ale w głębi duszy była przeświadczona, że szansę tę zsyła jej Najświętsza Panienka, że winna wykorzystać każdą sekundę tego tygodnia wakacji i cieszyła się, że będzie miała co opowiadać koleżankom. Przyjęła zaproszenie pod warunkiem, że towarzyszyć im będzie tłumacz, gdyż miała dosyć ciągłego uśmiechania się i udawania, że rozumie wywody obcokrajowca.

Jedyny problem, skądinąd bardzo istotny, polegał na tym, że nie miała odpowiedniego stroju na tę okazję. Kobieta nigdy nie wyjawia tak intymnych spraw (łatwiej jest się jej przyznać do zdrady męża, niż ujawnić stan swej garderoby), skoro jednak nie znała tych mężczyzn i zapewne już nigdy więcej ich nie zobaczy, nie miała nic do stracenia.

– Właśnie przyjechałam z Nordeste i nie mam odpowiedniego stroju, by pójść do restauracji – powiedziała.

Za pośrednictwem tłumacza Szwajcar poprosił ją, by nie zawracała sobie tym głowy, tylko podała mu adres hotelu. Tego samego popołudnia przysłał przez posłańca sukienkę, o jakiej nawet nie śniła, wraz z parą butów wartych zapewne jej roczną pensję.

Poczuła, że oto rozpoczyna się wielka przygoda, o której tak gorąco marzyła przez całe dzieciństwo i wiek dojrzewania na głuchej brazylijskiej prowincji – krainie suszy i facetów bez przyszłości, w mieście, gdzie ludzie żyli w niedostatku, choć uczciwie, gdzie wiodła nudną i pozbawioną sensu egzystencję. Teraz stanie się panią świata! Jakiś człowiek zaoferował jej właśnie pracę za dolary, podarował parę luksusowych pantofli i bajeczną suknię! Brakowało tylko makijażu, ale recepcjonistka z hotelu przyszła jej z pomocą, ostrzegając przy tym, że nie każdy obcokrajowiec jest godny zaufania, tak jak nie każdy *Carioca* – mieszkaniec Rio de Janeiro – jest draniem.

Maria puściła te przestrogi mimo uszu. Włożyła suknię, istne cudo, i spędziła kilka godzin przed lustrem, żałując, że nie ma aparatu fotograficznego. Nagle wpadła w popłoch – zdała sobie sprawę, że jest już niemal spóźniona, więc wybiegła, niczym Kopciuszek, do hotelu, w którym zatrzymał się Szwajcar.

Ku jej zaskoczeniu tłumacz oznajmił, że nie będzie im towarzyszył.

– Nie przejmuj się wcale językiem. Najważniejsze, żeby się dobrze z tobą czuł.

– Łatwo powiedzieć, ale jak to zrobić, skoro on nie rozumie, co ja do niego mówię?

– No właśnie. Nie musicie ze sobą rozmawiać, to kwestia przepływu energii.

Maria nie miała pojęcia, co to znaczy. W jej rodzinnym mieście, gdy ludzie spotykali się, chcieli wymieniać myśli, zadawać pytania i słuchać odpowiedzi. Ale Maílson – tak nazywał się tłumacz-portier – zapewnił ją, że w Rio de Janeiro i na całym świecie jest zupełnie inaczej.

– Nie staraj się rozumieć. Zrób wszystko, by poczuł się dobrze. To bezdzietny wdowiec, właściciel nocnego lokalu. Szuka Brazylijek chętnych do pracy za granicą. Powiedziałem mu, że brak ci klasy, lecz on się upiera. Twierdzi, że dziś na plaży zakochał się w tobie od pierwszego wejrzenia. Bardzo spodobało mu się twoje bikini.

Popatrzył na nią znacząco.

– Dobrze ci radzę, jeżeli chcesz znaleźć tu faceta, musisz zmienić fason bikini. Poza tym Szwajcarem nikt nie zwróci na nie uwagi, dawno już wyszło z mody.

Maria udała, że nie słyszy. Maílson ciągnął dalej:

– Moim zdaniem nie chodzi mu tylko o przygodny romans. Uważa, że masz talent i w krótkim czasie możesz stać się główną atrakcją jego lokalu. Oczywiście nie wie jeszcze, jak śpiewasz i tańczysz, lecz tego można się nauczyć, natomiast uroda jest nam dana. Ach, ci Europejczycy! Zjawiają się tu i myślą, że wszystkie Brazylijki są zmysłowe i potrafią tańczyć sambę. Jeżeli on ma poważne zamiary, domagaj się umowy – z podpisem uwierzytelnionym przez konsulat szwajcarski – zanim opuścisz kraj. Jutro będę na plaży przed hotelem. Przyjdź do mnie, gdybyś miała jakieś wątpliwości.

Szwajcar z uśmiechem wziął ją za rękę i zaprowadził do czekającej przed hotelem taksówki.

– Gdyby jednak jego zamiary były inne, to pamiętaj, że stawka za jedną noc wynosi trzysta dolarów. Pod żadnym pozorem nie bierz mniej – rzucił Maílson na odchodne.

Zanim zdołała cokolwiek z siebie wydusić, jechała już z obcokrajowcem do restauracji. Ich rozmowa ograniczała się do minimum: Pracować? Dolar? Brazylijska gwiazda?

Maria rozmyślała jeszcze nad tym, co powiedział Maílson: trzysta dolarów za jedną noc! Ależ to istny majątek! Nie musiała żywić płomiennego uczucia, mogła uwieść tego mężczyznę, tak jak uwiodła swojego pracodawcę, wyjść za mąż, mieć dzieci i zapewnić rodzicom dostatni byt na starość. Cóż miała do stracenia? On nie jest już pierwszej młodości, może niebawem umrze, a ona odziedziczy po nim wielki majątek. Podobno Szwajcarzy śpią na złocie, ale wygląda na to, że w ich kraju brakuje kobiet.

Podczas kolacji rozmowa niezbyt się kleiła. Wymienili parę zdawkowych uśmiechów. Maria powoli zaczynała rozumieć, co znaczyła „kwestia przepływu energii”, a mężczyzna pokazał jej katalog, w którym były wycinki z gazet w jakimś obcym języku, zdjęcia kobiet w bikini (bez wątpienia bardziej śmiałych niż to, które nosiła dziś na plaży), kolorowe broszury reklamowe, w których jedynym zrozumiałym dla niej słowem było „Brazil”, napisane z błędem ortograficznym (czyż nie uczono jej w szkole, że pisze się przez s?). Dużo piła, na wypadek gdyby Szwajcar złożył jej nieprzyzwoitą propozycję (nikt nie pogardzi trzystoma dolarami, a odrobina alkoholu znacznie ułatwia sprawy, zwłaszcza kiedy nie ma w pobliżu nikogo znajomego). Lecz ten mężczyzna zachowywał się jak dżentelmen, przysuwał jej krzesło, gdy siadała, i odsuwał, gdy wstawała. Pod koniec wieczoru, udając zmęczenie, zaproponowała spotkanie na plaży następnego dnia (pokazując godzinę na zegarku, naśladując dłonią ruch fal, bardzo powoli i wyraźnie wymówiła słowo „jutro"). Wydał się zadowolony, również spojrzał na swój zegarek (pewnie szwajcarski) i dał jej do zrozumienia, że godzina mu odpowiada.

Tej nocy źle spała. Śniło jej się, że to wszystko było tylko snem. Obudziła się. Ale to była prawda. Na krześle w jej skromnym hotelowym pokoju rzeczywiście wisiała suknia, obok stała para pięknych pantofli, a za kilka godzin czekało ją spotkanie na plaży.

Pamiętnik Marii z dnia, kiedy poznała Szwajcara:

Wszystko mi mówi, że niebawem podejmę błędną decyzję, ale czyż człowiek nie uczy się na własnych błędach? Czego los chce ode mnie? Żebym nie podejmowała ryzyka? Żebym wróciła, skąd przyszłam, nie mając nawet odwagi powiedzieć życiu „tak"?

Popełniłam już błąd w dzieciństwie, gdy ten chłopiec poprosił mnie o ołówek. Od tego czasu zrozumiałam, że okazje nie trafiają się często i że trzeba przyjmować prezenty, jakie przynosi nam los. Oczywiście, bywa to ryzykowne, ale czyż to ryzyko jest większe niż prawdopodobieństwo, że autobus, który wiózł mnie tu przez czterdzieści osiem godzin, ulegnie wypadkowi? Jeżeli już mam być komuś lub czemuś wierna, to przede wszystkim sobie samej. Podobno jeżeli chcę spotkać prawdziwą miłość, muszę skończyć z nijakimi miłostkami. Moje skąpe doświadczenie pokazuje, że nic nie zależy od mojej woli – i to zarówno w sferze materialnej, jak i duchowej. Ten, kto stracił coś, co uważał za swoje (a zdarzyło mi się to wielokrotnie), uczy się w końcu, że nic nie jest jego własnością.

Tak więc nie warto niczym się przejmować, tylko żyć tak, jakby dzisiejszy dzień był pierwszym (lub ostatnim) dniem mojego życia.

Nazajutrz, za pośrednictwem Maílsona, który zaczął się podawać za jej impresaria, oświadczyła, że przyjmie propozycję, gdy tylko otrzyma dokument uwierzytelniony przez szwajcarski konsulat. Obcokrajowiec, widać przyzwyczajony do takich wymagań, zapewnił, że jest to również jego życzenie. Tłumaczył, że pozwolenie na pracę w jego kraju zdobywa się na podstawie dokumentu zaświadczającego, że nikt inny nie potrafi wykonywać danego zawodu. Uzyska je bez trudu, Szwajcarki bowiem nie mają szczególnego talentu do samby. Pojechali razem do śródmieścia. Zaraz po podpisaniu umowy Maílson – portier, tłumacz i impresario w jednej osobie – zażądał w jej imieniu pięciuset dolarów zaliczki w gotówce, z czego skrzętnie zatrzymał trzydzieści procent dla siebie.

– Oto twoja zapłata za tydzień z góry. Za tydzień, rozumiesz? Będziesz zarabiała pięćset dolarów tygodniowo, ale już na czysto, bez prowizji, bo ja pobieram ją tylko od pierwszej wypłaty.

Do tego dnia podróże po świecie były dla Marii tylko odległym marzeniem. A jakże wygodnie jest marzyć, jeśli nie musimy urzeczywistniać naszych planów! Wtedy odpowiedzialność i winę za wszystkie nasze niepowodzenia i frustracje zawsze możemy zrzucić na barki innych – najlepiej rodziców, małżonków czy dzieci.

I oto nagle Maria stanęła przed szansą, której tak bardzo oczekiwała, choć się jej lękała zarazem. Jak stawić czoło niebezpieczeństwom i wyzwaniom życia? Jak porzucić wszystkie swoje dotychczasowe nawyki? Dlaczego Najświętsza Panienka zdecydowała, że ma pojechać tak daleko?

Maria pocieszała się, że w każdej chwili może zmienić zdanie i że wszystko to jest zabawą bez żadnych konsekwencji – wspaniałą przygodą, którą będzie można pochwalić się po powrocie. W końcu była ponad tysiąc kilometrów od swego miasteczka, miała trzysta pięćdziesiąt dolarów w kieszeni i jeżeli nazajutrz postanowiłaby spakować manatki i wrócić do domu, to ani cudzoziemiec, ani hotelowy portier nigdy jej nie odnajdą.

Po wizycie w konsulacie postanowiła pójść na plażę, popatrzeć na dzieci i na ich matki, na żebraków, pijaków, sprzedawców latynoskiego rękodzieła (produkowanego seryjnie w Chinach), ludzi uprawiających sporty, by opóźnić starość, turystów, emerytów grających w karty wzdłuż wybrzeża... Dotarła do Rio de Janeiro, jadła w jednej z najlepszych tutejszych restauracji, odwiedziła szwajcarski konsulat, poznała obcokrajowca, impresaria, dostała w prezencie suknię i parę butów, na które nikogo w Nordeste nie byłoby stać.

I co teraz?

Patrzyła na odległy horyzont. Uczyła się na lekcjach geografii, że dokładnie naprzeciw znajduje się Afryka, gdzie żyją lwy i wiele gatunków małp. Lecz gdyby skierowała się trochę bardziej na północ, postawiłaby w końcu stopę w zaczarowanej krainie zwanej Europą, w której była wieża Eiffla, katedra Notre Dame i krzywa wieża w Pizie. Cóż miała do stracenia? Jak wszystkie niemal Brazylijki, tańczyła już sambę, zanim wymówiła słowo „mama". Jeżeli ta praca jej się nie spodoba, zawsze przecież może wrócić. Okazje są po to, by chwytać je w lot.

Dotychczas miała wyłącznie doświadczenia, w których ona decydowała, na które wyrażała zgodę, jak choćby pewne przygody z mężczyznami, lecz zwykle mówiła „nie", gdy wolałaby powiedzieć „tak". Teraz stała w obliczu nieznanego – podobnie jak nieznane było niegdyś to morze dla żeglarzy, którzy tu dopłynęli, co wiedziała z lekcji historii. Zawsze będzie czas, żeby powiedzieć „nie", ale pora skończyć z użalaniem się nad sobą. Zdarzało jej się to czasem, gdy przypominała sobie chłopca, który poprosił ją o ołówek i zniknął... Dlaczego więc teraz od razu nie powiedziała „tak"? Z bardzo prostego powodu: była dziewczyną z głębokiej prowincji, całe jej życiowe doświadczenie sprowadzało się do kilku lat nauki w porządnej szkole, do szerokiej wiedzy na temat seriali telewizyjnych oraz wiary we własną urodę. A to nie wystarczało, by stawić czoło światu.

Spostrzegła grupę ludzi, którzy uśmiechali się niepewnie, spoglądając na morze, jakby bali się do niego zbliżyć. Jeszcze dwa dni temu odczuwała takie same obawy, ale to już minęło. Wchodziła do wody, kiedy tylko miała na to ochotę, jakby się tu urodziła. Czy nie tak samo będzie w Europie?

Pomodliła się w duchu do Matki Boskiej i podjęła decyzję o wyjeździe. Przecież będzie mogła wrócić, a nie co dzień trafia się okazja, by pojechać tak daleko. Warto zaryzykować. Teraz myślała już tylko o tym, by Szwajcar w ostatniej chwili nie zmienił zdania.

Była tak podekscytowana, że gdy cudzoziemiec zaprosił ją ponownie na kolację, uśmiechnęła się zmysłowo i wzięła go za rękę. Mężczyzna cofnął ją jednak natychmiast i Maria zrozumiała – nie bez zakłopotania i pewnej ulgi – że jego intencje są naprawdę poważne i szczere.

– Gwiazda samby! – mówił. – Piękny gwiazda samby brazylijska! Podróż przyszły tydzień!

Wszystko to było cudowne, jednak „podróż przyszły tydzień" była absolutnie nie do przyjęcia. Maria tłumaczyła, że nie może podjąć tak ważnej decyzji bez uzgodnienia jej z rodziną. Wściekły Szwajcar wyjął kopię podpisanego dokumentu i wtedy po raz pierwszy ogarnął ją strach.

– Umowa! – powtarzał z naciskiem.

Przed podjęciem ostatecznej decyzji Maria chciała jeszcze zasięgnąć rady Maílsona, swego impresaria. Czyż nie płaciła mu, by ją wspierał?

Lecz Maílson zabiegał teraz o względy niemieckiej turystki, która właśnie przybyła do hotelu i opalała się toples na piasku, przekonana, że Brazylia jest najbardziej liberalnym krajem na świecie, nie zdając sobie sprawy, że jako jedyna ma goły biust i ludzie przyglądają się jej z lekkim zażenowaniem. Maria z trudem skierowała uwagę Maílsona na siebie.

– A jeżeli zmienię zdanie? – spytała.

– Nie wiem, co jest w umowie, ale on może cię zamknąć w więzieniu.

– Nigdy mnie nie znajdzie!

– Masz rację. A więc nie przejmuj się tym.

Jednak Szwajcar, który dał jej już pięćset dolarów zaliczki, zapłacił słono za parę butów, wytworną suknię, dwie kolacje i pokrył opłaty konsularne, zaczął się niepokoić. Skoro Maria upierała się, by odwiedzić rodzinę, postanowił kupić dwa bilety na samolot i towarzyszyć jej w podróży do domu – pod warunkiem że wszystko zostanie uregulowane w czterdzieści osiem godzin i będą mogli wyjechać do Europy w następnym tygodniu, zgodnie z ustalonym planem. Zrozumiała wreszcie, co wynikało z dokumentu, który podpisała. Zrozumiała też, że nie należy igrać z flirtami, uczuciami i kontraktami.

Jej rodzinne miasto z zaskoczeniem i z dumą przyjęło piękną Marię, córę tej ziemi, przybywającą w towarzystwie obcokrajowca pragnącego uczynić z niej w Europie wielką gwiazdę. Wieść o tym lotem błyskawicy obiegła całe miasto, a gdy zasypywano ją gradem pytań, odpowiadała:

– Po prostu mam szczęście.

Jej szkolne przyjaciółki były bardzo ciekawe, czy w Rio de Janeiro takie sytuacje są nagminne, bo w niektórych serialach telewizyjnych widziały podobne przypadki. Maria zbywała to znaczącym milczeniem, aby podkreślić swą osobistą zasługę i udowodnić, że jest kimś wyjątkowym.

W jej rodzinnym domu Szwajcar ponownie pokazał zdjęcia, katalog reklamowy „Brazil" i umowę, podczas gdy Maria tłumaczyła, że ma teraz własnego impresaria i sporą szansę na zrobienie zawrotnej kariery artystycznej. Matka, widząc na zdjęciach dziewczyny w skąpym bikini, nie zadawała więcej pytań. Dla niej liczyło się jedynie, by córka była szczęśliwa i bogata – lub nieszczęśliwa, lecz przynajmniej bogata.

– Jak on ma na imię? – spytała.

– Roger.

– Rogério! Miałam kuzyna o takim imieniu!

Mężczyzna uśmiechnął się, zaczął bić brawo, a wtedy stało się jasne, że nie zrozumiał ani słowa.

– Ależ on jest w moim wieku! – żachnął się ojciec.

Żona przywołała go do porządku, tłumacząc, że to życiowa szansa dla ich córki. Jak wszystkie krawcowe wiele plotkowała ze swymi klientkami i w ten sposób zdobyła sporą wiedzę o małżeństwie i miłości, poradziła więc Marii:

– Moja kochana, lepiej być nieszczęśliwą z bogatym mężem niż szczęśliwą z biednym. Tam będziesz miała więcej okazji, by stać się nieszczęśliwą bogaczką. A zresztą, jeśli ci się nie uda, wsiadaj do autobusu i wracaj do domu.

Maria, dziewczyna o inteligencji przekraczającej

wyobrażenia jej matki i przyszłego męża, odpowiedziała zaczepnie:

— Mamo, między Europą i Brazylią nie kursują autobusy. Poza tym mam zamiar robić karierę artystyczną, a nie szukać męża.

Matka spojrzała na nią niemal z rozpaczą.

— Skoro możesz tam pojechać, to równie dobrze możesz stamtąd wrócić. Kariera artystyczna to dobre dla podlotków, trwa tak długo, dopóki jesteś piękna, i kończy się mniej więcej koło trzydziestki. Korzystaj więc póki czas, znajdź sobie jakiegoś uczciwego, kochającego chłopaka i błagam cię, wyjdź za mąż. Nie trzeba za wiele rozmyślać o miłości. Na początku nie kochałam twojego ojca, ale za pieniądze można kupić wszystko, nawet prawdziwą miłość. A jak wiesz, twój ojciec nie jest nawet bogaty!

W przeddzień wyjazdu do Rio Maria poszła do sklepu, w którym pracowała, by złożyć rezygnację.

— Doszły mnie słuchy — powiedział jej pracodawca — że jakiś wielki francuski impresario postanowił zabrać cię do Paryża. Nie mogę stawać na drodze twojemu szczęściu, ale zanim wyjedziesz, muszę ci coś wyznać.

Wyciągnął z kieszeni łańcuszek z medalikiem.

— Jest to cudowny medalik Matki Boskiej Łaskawej. Kościół pod jej wezwaniem znajduje się w Paryżu. Pójdź tam i poproś ją o opiekę.

Maria przeczytała kilka słów, które były na nim wygrawerowane: *O Maryjo bez grzechu poczęta, módl się za nami, którzy się do Ciebie uciekamy. Amen.*

— Nie zapomnij powtarzać tych słów przynajmniej raz dziennie. I... — zawahał się — ...jeżeli kiedyś tu wrócisz, wiedz, że będę na ciebie czekał. Przegapiłem okazję, by powiedzieć ci coś bardzo zwykłego: kocham cię. Wiem, że jest już być może za późno, ale chcę, byś o tym wiedziała.

Maria bardzo wcześnie doświadczyła na własnej skórze, co znaczy „przegapić okazję". Ale słowa „kocham cię" słyszała często w ciągu dwudziestu dwóch lat swojego życia i wydawały się jej zupełnie pozbawione sensu. Nigdy nie towarzyszyło im poważne, głębokie uczucie, które przekładałoby się na trwały związek. Podziękowała za te słowa i zapisała je w pamięci (nigdy nie wiadomo, co przyniesie nam los, i zawsze lepiej wiedzieć, gdzie jest wyjście awaryjne). Złożyła niewinny pocałunek na jego policzku i odeszła, nie oglądając się za siebie.

W Rio wydano jej paszport w niespełna dwadzieścia cztery godziny („Brazylia naprawdę się zmieniła", skomentował Roger za pomocą kilku słów po portugalsku i wielu gestów, co Maria przetłumaczyła jako: „Dawniej zajmowało to o wiele więcej czasu"). Przy pomocy Maílsona zakończyli ostatnie przygotowania do wyjazdu (ubrania, buty, kosmetyki, wszystko, o czym mogła marzyć kobieta taka jak Maria). Roger przyglądał się, jak tańczyła w lokalu, do którego poszli w przeddzień odlotu do Europy, i zachwycony gratulował sobie wyboru – przed nim stała naprawdę wielka gwiazda kabaretu „Gilbert", piękna zielonooka brunetka, z włosami czarnymi jak skrzydło *graúna* (ptaka, do którego brazylijscy pisarze zazwyczaj porównują ciemne włosy). W szwajcarskim konsulacie czekało już na nią pozwolenie na pracę. Spakowali walizki i nazajutrz odlecieli do kraju czekolady, zegarków i sera. W skrytości ducha Maria wciąż wierzyła, że ten mężczyzna w końcu się w niej zakocha. Przecież nie był ani stary, ani brzydki, ani biedny. Czegóż chcieć więcej?

Dotarła na miejsce wycieńczona i jeszcze na lotnisku chwycił ją za gardło paniczny strach: uzmysłowiła sobie, że jest całkowicie zależna od mężczyzny, który stoi obok niej – nie zna ani kraju, ani języka, i nie wie, co to siarczysty mróz. Zachowanie Rogera zmieniało się z godziny na godzinę: nie starał się już być miły. Stał się jakby nieobecny. Umieścił ją w podrzędnym hoteliku i przedstawił innej Brazylijce, młodej, smutnej kobiecie, Vivian, która miała wprowadzić ją w arkana przyszłego zawodu.

Vivian nie okazała cienia serdeczności wobec świeżo przybyłej rodaczki. Zmierzyła ją od stóp do głów i powiedziała bez ogródek:

– Nie miej złudzeń. On jeździ do Brazylii za każdym razem, gdy któraś z jego tancerek wychodzi za mąż, a zdarza się to dość często. Wie, czego chce, a sądzę, że i ty wiesz. Zapewne przyjechałaś tu szukać przygód, forsy albo męża.

Jak to odgadła? Czyżby wszyscy szukali tego samego? A może umiała czytać w cudzych myślach?

– Tutaj wszystkie dziewczyny szukają jednej z tych trzech rzeczy – ciągnęła Vivian. – Jeżeli chodzi o przygody, tu jest zbyt zimno, by na cokolwiek się odważyć, a poza tym nie zostaje nam wiele czasu na podróżowanie. Co do pieniędzy, będziesz musiała pracować prawie przez rok, by zarobić na bilet powrotny. A trzeba jeszcze wyżywić się i opłacić czynsz.

– Ale...

– Wiem, nie tak to miało wyglądać. Ale tak naprawdę, zapomniałaś spytać, jak to miało wyglądać... jak zresztą my wszystkie. Gdybyś była ostrożniejsza, gdybyś uważnie przeczytała umowę, którą podpisałaś, wiedziałabyś dokładnie, w co się pakujesz, bo Szwajcarzy wprawdzie nie kłamią, ale potrafią wiele przemilczeć.

Maria czuła, że traci grunt pod nogami.

– No i każda dziewczyna, która wychodzi za mąż, naraża Rogera na poważne straty finansowe. Dlatego nie wolno nam rozmawiać z klientami. Jeżeli przyjdzie ci to do głowy, będziesz miała kłopoty. To nie jest miejsce, gdzie ludzie się spotykają, w przeciwieństwie do ulicy Berneńskiej.

Ulica Berneńska?

– Tutaj mężczyźni przychodzą z żonami, więc nieliczni przypadkowi turyści, dla których atmosfera jest tu zbyt rodzinna, idą szukać kobiet gdzie indziej. Naucz się tańczyć. Jeżeli potrafisz śpiewać, to twoja pensja wzrośnie, podobnie zresztą jak zawiść innych dziewczyn. Właśnie dlatego, choćbyś miała najpiękniejszy głos w całej Brazylii, radzę ci o tym zapomnieć i nie próbować śpiewać. A przede wszystkim nie dzwoń do kraju. Wydasz to, czego jeszcze nie zarobiłaś, a i tak za wiele tego nie będzie.

– Ależ on obiecał mi pięćset dolarów tygodniowo!

– Sama zobaczysz...

Pamiętnik Marii; drugi tydzień pobytu w Szwajcarii:

Byłam w lokalu, poznałam „nauczyciela tańca"
pochodzącego z kraju zwanego Maroko i musiałam się
uczyć każdego kroku tego, co on, który nigdy nie po-
stawił nogi w Brazylii, uważa za sambę. Nie miałam
nawet czasu odpocząć po długim locie z Brazylii, mu-
siałam uśmiechać się i tańczyć od pierwszego wieczo-
ru. Jest nas tu sześć, żadna nie jest szczęśliwa, żad-
na nie wie, co tu właściwie robi. Klienci piją drin-
ki, klaszczą, przesyłają nam pocałunki i po kryjomu
robią lubieżne gesty, ale nic poza tym.

Wczoraj wypłacono mi pierwszą pensję, ledwie jedną
dziesiątą tego, co było ustalone – reszta, wedle umowy,
ma pokryć koszty biletu lotniczego i utrzymania. Według
obliczeń Vivian, potrzeba na to co najmniej roku pracy, co
znaczy, że przez ten czas nie będę mogła nigdzie uciec. Ale
czy warto uciekać? Dopiero co przyjechałam, nic jeszcze
nie wiem. Jaki to problem tańczyć przez siedem wieczo-
rów w tygodniu? Przedtem robiłam to dla przyjemności,
teraz dla pieniędzy i przyszłej sławy. Moje nogi nie na-
rzekają, najtrudniej jest bezustannie się uśmiechać.

Mam wybór: mogę być ofiarą losu lub poszukiwa-
czem przygód wyruszającym po skarb. Wszystko zale-
ży od tego, jak będę postrzegała własne życie.

Maria dokonała wyboru. Będzie poszukiwaczem przygód wyruszającym po swój skarb. Odłożyła na bok sentymenty, przestała płakać po nocach, zapomniała, kim dotąd była. Odnalazła w sobie wolę, by odkrywać nowy świat. Użalanie się nad sobą i brakiem kogoś bliskiego nie miało sensu. Serce może zaczekać. Na razie musi zarobić pieniądze, poznać Szwajcarię i wrócić triumfalnie do domu.

Zresztą wszystko wokół bardzo przypominało Brazylię, a zwłaszcza jej miasto: dziewczyny mówiły po portugalsku, bez przerwy narzekały na mężczyzn, głośno się kłóciły, protestowały przeciwko rozkładowi dnia, spóźniały się do pracy, przeklinały właściciela, uważały się za najpiękniejsze istoty pod słońcem i snuły historie o księciach z bajki – ich książęta byli na ogół gdzieś bardzo daleko albo mieli żony na karku, albo nie mieli pieniędzy i żyli na ich utrzymaniu. W przeciwieństwie do tego, co Maria wyobrażała sobie, oglądając broszurki reklamowe Rogera, atmosfera w lokalu była dokładnie taka, jak opisała ją Vivian: rodzinna. Pod żadnym pozorem nie mogły przyjmować zaproszeń ani wychodzić z klientami, gdyż w pozwoleniu na pracę figurowały jako „tancerki samby". Gdy przyłapywano je na przyjmowaniu karteczek z nagryzmolonym pośpiesznie numerem telefonu, pozbawiane były pracy – a tym samym pensji – na dwa tygodnie. Maria, spragniona wrażeń, powoli pogrążała się w monotonii i nudzie.

Przez pierwsze dwa tygodnie rzadko wychodziła z pensjonatu, w którym mieszkała, zwłaszcza kiedy odkryła, że nikt w mieście nie rozumie portugalskiego, nawet jeśli powoli i wyraźnie wymawiała każde słowo. Ku swojemu zdziwieniu dowiedziała się również, że miasto, w którym się znalazła, miało dwie nazwy – Genewa dla jego mieszkańców i Genebra dla mieszkających w nim Brazylijek.

W końcu, po wielu godzinach spędzonych w malutkiej klitce bez telewizora, doszła do wniosku, że:

a) Nigdy nie osiągnie tego, co zamierzyła, jeżeli nie będzie umiała wyrazić tego, co myśli. Musi więc nauczyć się tutejszego języka.

b) Skoro wszystkie jej koleżanki poszukiwały tego samego, ona musi być inna. Nie miała jeszcze tylko pomysłu na swoją „inność".

Pamiętnik Marii pisany cztery tygodnie po przyjeździe do Genewy:

Jestem tu już całą wieczność. Nie mówię w ich języku. Całymi dniami słucham muzyki nadawanej przez radio, wpatruję się w ściany mojego pokoju i rozmyślam o Brazylii, wyczekując z niecierpliwością wyjścia do pracy, a gdy pracuję, nie mogę się doczekać powrotu do pensjonatu. To znaczy, że żyję w przyszłości zamiast w teraźniejszości.

Pewnego dnia, w odległej przyszłości, kupię bilet powrotny. Wrócę do Brazylii. Wyjdę za mąż za właściciela sklepu tekstylnego i będę wysłuchiwać złośliwych komentarzy koleżanek, które nigdy nie podjęły ryzyka i cieszą się z porażek innych. Nie, nie mogę tak wrócić. Wolałabym wyskoczyć z samolotu lecącego nad oceanem.

Jednak okna w samolocie nie otwierają się (tego się zresztą nie spodziewałam, jaka szkoda, że nie można poczuć świeżego powietrza!), wolę więc umrzeć tutaj. Ale zanim umrę, chcę walczyć o życie. Dopóki mogę iść o własnych siłach, pójdę tam, gdzie zechcę.

Następnego dnia poszła zapisać się na kurs francuskiego. Poznała tam ludzi wszelkich wyznań i w każdym wieku, mężczyzn w krzykliwych garniturach, z ciężkimi złotymi łańcuchami na nadgarstkach, kobiety, które nie zdejmowały z głowy woalu, dzieci, które uczyły się szybciej niż dorośli – czyż nie powinno być akurat na odwrót, skoro dorośli mają większe doświadczenie? Była dumna, że wszyscy znali jej kraj, karnawał, sambę, piłkę nożną i najsłynniejszą osobę na świecie: Pelégo. Na początku chciała być miła i starała się poprawiać ich wymowę (mówi się Pelee! Peleee!), lecz po jakimś czasie dała za wygraną, skoro ją również nazywali Mariá – cóż za mania cudzoziemców, żeby zmieniać wszystkie imiona i uważać, że zawsze ma się rację!

Po południu (by ćwiczyć francuski) postawiła pierwsze kroki w mieście o podwójnej nazwie, posmakowała wyśmienitej czekolady, sera, którego nigdy jeszcze nie jadła, odkryła gigantyczną fontannę na środku jeziora, śnieg – po którym żaden mieszkaniec jej rodzinnego miasta jeszcze nie chodził, łabędzie, restaurację z kominkiem (nie weszła tam, ale widziała ogień przez okno i napełniało ją to przyjemną błogością). Ze zdziwieniem zauważyła również, że na ulicach reklamowano nie tylko zegarki, lecz także banki. Nie potrafiła pojąć, po co tyle banków dla tak niewielu mieszkańców, ale postanowiła nie zaprzątać sobie tym głowy.

Przez trzy miesiące udawało się jej poskromić swoją zmysłową naturę – powszechnie przypisywaną Brazylijkom – aż pewnego dnia zakochała się w Arabie, który chodził z nią na kurs francuskiego. Po trzech tygodniach romansu kochanek zabrał ją na wycieczkę w pobliskie góry i nie zjawiła się w pracy. Nazajutrz Roger wezwał ją do swojego gabinetu.

Ledwie stanęła w drzwiach, została bezceremonialnie zwolniona za dawanie złego przykładu innym dziewczynom. Rozhisteryzowany Roger oświadczył, że po raz kolejny się zawiódł, że nie można ufać Brazylijkom. (Mój Boże! Cóż za mania uogólniania!). Na próżno zapewniała, że jej nieobecność spowodowana była tylko silną gorączką. Pracodawca nie dał się udobruchać. Krzyczał, że znów musi jechać do Brazylii po nową tancerkę. Ciskał się, że lepiej było zrobić spektakl z muzyką bałkańską i tancerkami z Jugosławii, o niebo ładniejszymi, a już z pewnością bardziej godnymi zaufania.

Pomimo młodego wieku Maria nie była idiotką – poza tym arabski kochanek wyjaśnił jej, że w Szwajcarii zatrudnienie jest obwarowane bardzo rygorystycznymi przepisami i Maria, broniąc się przed zwolnieniem, może wykorzystać argument, że zmuszano ją do pracy niemal niewolniczej, bo pracodawca zatrzymywał lwią część jej wynagrodzenia.

Wróciła do biura Rogera i posługując się tym razem w miarę poprawną fracuszczyzną, wplotła w swoją wypowiedź słowo „adwokat". Wyszła stamtąd z kilkoma obelgami pod swoim adresem i pięcioma tysiącami dolarów odszkodowania – sumą, o jakiej nigdy nie śniła, a wszystko to dzięki magicznemu słowu „adwokat". Mogła teraz swobodnie spotykać się z arabskim kochankiem, kupić kilka prezentów, zrobić zdjęcia zaśnieżonego krajobrazu i wrócić do kraju.

Zadzwoniła do sąsiadki rodziców, by oznajmić, że jest szczęśliwa i ma przed sobą wspaniałą karierę, więc nie ma powodu do zmartwień. Ponieważ lada dzień miała opuścić pokój w pensjonacie, uznała, że nie pozostaje jej nic innego, jak wyznać kochankowi dozgonną miłość, przejść na jego wiarę, poślubić go – nawet gdyby musiała nosić tę dziwną chustkę na głowie. Powszechnie wiadomo, że Arabowie są bardzo bogaci, a to było najważniejsze.

Lecz Arab gdzieś się ulotnił. W głębi duszy była wdzięczna Najświętszej Panience, że nie musi się wypierać swojej wiary. Mówiła już nieźle po francusku, miała pieniądze na bilet powrotny, pozwolenie na pracę jako tancerka samby i ważną kartę pobytu. Wiedząc, że w ostateczności może wyjść za mąż za sprzedawcę tekstyliów, postanowiła zrobić to, co wydawało jej się łatwe: zarabiać pieniądze dzięki swej urodzie.

W Brazylii czytała raz książkę o przygodach pasterza poszukującego skarbu, który musiał zmierzyć się z wieloma przeciwnościami, ale właśnie dzięki temu osiągnął wszystko, czego pragnął. I to był dokładnie jej przypadek. Była teraz w pełni świadoma, że straciła pracę, by wypełniło się jej prawdziwe przeznaczenie – zostać modelką.

Wynajęła mały pokój (bez telewizora, bo musiała oszczędzać, dopóki nie zacznie zarabiać) i już następnego dnia postanowiła odwiedzić agencje mody. Wszędzie słyszała, że powinna zostawić profesjonalne zdjęcia. W końcu była to inwestycja we własną karierę – wszystkie marzenia mają swoją cenę. Wydała sporą część oszczędności na doskonałego, małomównego, ale wymagającego fotografa. W studiu fotograficznym miał zasobną garderobę, więc pozowała w strojach prostych, ekstrawaganckich, a nawet w bikini, na widok którego jej jedyny znajomy w Rio de Janeiro, portier, tłumacz i impresario w jednej osobie – Maílson – pękłby z dumy. Dodatkowe odbitki wysłała do rodziny wraz z listem, w którym zapewniała, że jest w Szwajcarii szczęśliwa. Niech myślą sobie, że jest bogata, ma stroje, które mogą wzbudzić zazdrość koleżanek, i stała się najsławniejszą dziewczyną z rodzinnego miasteczka. Kiedy wszystko pójdzie po jej myśli (przeczytała wiele książek o „pozytywnym myśleniu" i nie mogła wątpić w swoje zwycięstwo), to w domu powita ją orkiestra, a prefekt, być może, nazwie jakiś plac jej imieniem.

Kupiła telefon komórkowy i przez następne dni czekała, by ktoś zadzwonił i zaproponował jej pracę. Jadała w chińskich restauracjach (najtańszych) i aby zabić czas, uczyła się jak szalona.

Ale dni mijały, a telefon milczał. Nikt jej nie zaczepiał, gdy spacerowała brzegiem jeziora, poza kilkoma handlarzami narkotyków, stojącymi zawsze w tym samym miejscu, pod jednym z mostów łączących stary park z nowym miastem. Zaczęła wątpić w swą urodę, lecz jedna ze spotkanych przez przypadek w kawiarni dawnych koleżanek z pracy wyjaśniła jej, że Szwajcarzy nie lubią być natrętni, a cudzoziemcy jak ognia boją się podejrzeń o „molestowanie seksualne" – taki termin wymyślono po to, by kobiety na całym świecie czuły się brzydkie i nijakie.

Pamiętnik Marii pisany pewnego wieczoru, gdy nie miała odwagi ani wyjść z domu, ani czekać na telefon, ani żyć:

Przechodziłam dziś koło wesołego miasteczka. Muszę się teraz liczyć z każdym groszem, wolałam się więc tylko przyglądać. Długo stałam przed diabelskim młynem. Większość ludzi wsiadała do wagoników w poszukiwaniu mocnych wrażeń, lecz gdy tylko młyn ruszał, ci sami ludzie umierali ze strachu i błagali, żeby zatrzymać maszynerię.

Czego właściwie oczekiwali? Skoro wybrali przygodę, powinni być gotowi pójść na całość. A może żałowali, że nie kręcą się bezpiecznie na dziecinnej karuzeli, zamiast w szaleńczym tempie jeździć na diabelskim młynie?

Czuję się w tej chwili zbyt samotna, by myśleć o miłości, lecz muszę wierzyć, że to minie, że znajdę odpowiednią pracę i że jestem tu, bo taki jest mój wybór. Moje życie jest jak ten diabelski młyn. Życie to brutalna, zapierająca dech w piersiach zabawa – jak skakanie ze spadochronem albo niebezpieczna górska wspinaczka.

Niełatwo żyć z dala od bliskich, od języka, w którym umiem wyrazić wszystkie uczucia. Jednak od dziś, gdy będę przybita, wspomnę to wesołe miasteczko. Gdybym spała i nagle obudziła się w wagoniku diabelskiego młyna, cóż bym czuła?

Najpierw czułabym się niczym więzień, bałabym się wysokości, serce podchodziłoby mi do gardła, kręciłoby mi się w głowie i chciałabym czym prędzej wysiąść. Lecz gdybym miała pewność, że te tory są moim przeznaczeniem, że Bóg steruje tą maszynerią, wtedy mój koszmar przerodziłby się w podniecającą przygodę. I diabelski młyn stałby się bezpieczną i ciekawą rozrywką, która kiedyś się przecież kończy. Jednak dopóki młyn się kręci, trzeba podziwiać roztaczający się wokół krajobraz i wrzeszczeć z radości.

Maria potrafiła mądrze pisać, niestety, nie udawało się jej tych mądrości zastosować w praktyce. Chwile przygnębienia powtarzały się coraz częściej, a telefon milczał jak zaklęty. Aby rozerwać się i poćwiczyć francuski, zaczęła kupować kolorowe magazyny o sławnych ludziach. Lecz gdy tylko zdała sobie sprawę, że wydaje na nie za dużo pieniędzy, wyruszyła na poszukiwanie najbliższej biblioteki. Bibliotekarka wyjaśniła jej, że nie wypożyczają tu kolorowych pism, ale jest mnóstwo książek, które pomogą jej szlifować francuski.

– Nie mam czasu na czytanie książek.

– Jak to nie ma pani czasu? A co pani robi?

– Wiele rzeczy: uczę się języka, piszę pamiętnik i...

– I co?

Już miała powiedzieć: „Czekam, by telefon zadzwonił", ale w porę ugryzła się w język.

– Moja miła, jest pani młoda, całe życie przed panią. Niech pani czyta. Niech pani zapomni o wszystkim, co mówiono pani dotąd o książkach, i niech pani czyta.

– Ja dużo już przeczytałam...

Zawahała się. Przypomniała sobie, co Maílson mówił o „przepływie energii". Bibliotekarka wydawała jej się osobą wrażliwą i łagodną. Intuicja podpowiadała Marii, że mogłaby mieć w niej przyjaciółkę, która przyszłaby jej z pomocą, gdyby wszystko inne zawiodło. Powinna ją sobie zjednać.

– ...ale chciałabym jeszcze poczytać – dorzuciła. – Proszę mi pomóc w doborze lektur.

Dostała *Małego Księcia*. Tego samego wieczoru przekartkowała go pobieżnie, zauważyła obrazki przedstawiające kapelusz – autor twierdził, że dla dzieci jest to wąż trawiący słonia. „Nigdy chyba nie byłam dzieckiem – pomyślała. – Według mnie, to bardziej przypomina kapelusz". Towarzyszyła Małemu Księciu w jego wędrówkach, choć ogarniał ją smutek za każdym razem, gdy była mowa o miłości – kategorycznie zabroniła sobie o tym myśleć. Jednak poza bolesnymi, romantycznymi scenami pomiędzy księciem, lisem i różą, książka była porywająca. Maria przestała sprawdzać co pięć minut, czy bateria telefonu komórkowego jest naładowana.

Odtąd stała się częstą bywalczynią biblioteki. Rozmawiała z bibliotekarką, która również wydawała się bardzo samotna, prosiła ją o rady, dyskutowały o życiu i o pisarzach – aż do dnia, gdy rozpłynął się ostatni uciułany grosz.

A ponieważ los zawsze czeka na sytuacje krytyczne, by pokazać, telefon w końcu zadzwonił.

Trzy miesiące po tym, jak odkryła słowo „adwokat", i dwa miesiące po otrzymaniu odszkodowania Maria odebrała telefon od pewnej agencji modelek. Rozmawiała chłodno, by nie zdradzać podekscytowania. Dowiedziała się, że pewnemu Arabowi, wysoko postawionemu w świecie mody, bardzo spodobały się jej zdjęcia i pragnął zaprosić ją do udziału w pokazie. Maria przypomniała sobie o niedawnym rozczarowaniu związanym z innym Arabem, ale pomyślała też o pieniądzach, których rozpaczliwie potrzebowała. Spotkanie zostało umówione w znanej genewskiej restauracji. Zastała tam eleganckiego mężczyznę, dojrzalszego i przystojniejszego niż jej niedawny znajomy.

– Czy wie pani, kto namalował ten obraz nad barem? – spytał podczas kolacji. – Joan Miró. A czy wie pani, kim był Joan Miró?

Maria milczała skupiona na jedzeniu, tak odmiennym od dań w chińskich restauracjach, w których żywiła się ostatnimi czasy. Zanotowała w pamięci: przy następnej wizycie w bibliotece trzeba dowiedzieć się czegoś o Joanie Miró.

– Przy tamtym stole w rogu często siadywał Federico Fellinii – nie dawał za wygraną jej towarzysz. – Co pani sądzi o filmach Felliniego?

Odpowiedziała, że je uwielbia. Chciał pogłębić temat, więc Maria, czując, że jej wiedza nie sprosta temu badaniu, powiedziała bez ogródek:

– Ameryki nie odkryję. Wiem jedynie, jaka jest różnica pomiędzy coca-colą i pepsi. Może pomówimy o pańskim pokazie mody?

Szczerość dziewczyny wywarła chyba dobre wrażenie.

– Porozmawiamy o tym przy drinku po kolacji.

Zapadło milczenie. Patrzyli na siebie, a każde z nich próbowało czytać w myślach drugiego.

– Jest pani bardzo ładna – podjął Arab. – Jeżeli zgodzi się pani wypić ze mną drinka u mnie w hotelu, dam pani tysiąc franków.

Maria pojęła w lot jego zamiary. Czy była to wina agencji modelek? Czy była to jej własna wina? Czy powinna przez telefon dowiedzieć się czegoś więcej na temat tej kolacji? Nie, to nie była wina agencji ani jej, ani Araba: tak właśnie to wszystko działało. Nagle zatęskniła za Brazylią, za miasteczkiem w Nordeste, za czułymi ramionami matki. Przypomniał się jej Maílson, który wymienił kwotę trzystu dolarów: wtedy wydawało się to godziwą zapłatą, znacznie przewyższającą to, czego mogła spodziewać się za jedną noc z mężczyzną. W tej samej chwili zdała sobie sprawę, że nie ma już nikogo, zupełnie nikogo na świecie, komu mogłaby się wyżalić: jest sama jak palec, w obcym kraju, ze swymi w miarę dobrze przeżytymi dwudziestoma dwoma latami. Te w miarę dobrze przeżyte lata teraz nie pomagały jej jednak w wyborze najlepszej odpowiedzi.

– Poproszę jeszcze trochę wina.

Arab napełnił jej kieliszek, podczas gdy jej myśli mknęły szybciej niż Mały Książę pomiędzy odległymi planetami. Przyjechała w poszukiwaniu przygód, pieniędzy i być może męża. Zdawała sobie wprawdzie sprawę, że będzie otrzymywać i takie propozycje – nie była niewiniątkiem i wiedziała czego zwykle oczekują mężczyźni. Ale agencje modelek, sukces i powodzenie, bogaty mąż, rodzina, dzieci, wnuki, wytworne stroje, powrót do rodzinnego kraju w nimbie sławy, to było coś, w co jeszcze chciała wierzyć. Miała nadzieję, że dzięki własnej inteligencji, urokowi oraz sile woli pokona wszelkie trudności.

Jej świat legł właśnie w gruzach. Wybuchnęła płaczem. Towarzyszący jej mężczyzna, rozdarty pomiędzy obawą przed skandalem i czysto męskim instynktem opiekuńczym, nie wiedział, co począć. Dał znak kelnerowi, by szybko przyniósł rachunek, lecz Maria go powstrzymała:

– Niech pan tego nie robi. Proszę mi nalać jeszcze wina i pozwolić trochę popłakać.

Przypomniała sobie chłopca, który poprosił ją o ołówek, młodzieńca, który pocałował ją w zamknięte usta, radość z odkrywania Rio de Janeiro, mężczyzn, którzy wykorzystali ją, nie dając nic w zamian, wygasłe namiętności, utracone nadzieje. Tylko pozornie cieszyła się wolnością, jej życie było nieskończonym pasmem dni spędzonych w oczekiwaniu na cud, prawdziwą miłość, romans z happy endem, który znała z filmów i książek. Ktoś kiedyś napisał, że ani czas, ani mądrość nie zmieniają człowieka – bo odmienić istotę ludzką zdolna jest wyłącznie miłość. Co za bzdura! Ten pisarz znał tylko jedną stronę medalu.

To prawda, że miłość jest w stanie w okamgnieniu całkowicie przeobrazić ludzkie życie. Ale – i to jest ta druga strona medalu – istnieje inne uczucie, które potrafi skierować ludzkie losy na zgoła odmienne tory: rozpacz. Tak, miłość zapewne może odmienić człowieka, ale rozpaczy udaje się to znacznie szybciej. I co teraz? Wybiec stąd, wrócić do Brazylii, zostać nauczycielką francuskiego, wyjść za dawnego pracodawcę? Czy posunąć się o krok dalej? To przecież tylko jedna noc, a Maria nie zna w tym mieście nikogo i nikt nie zna jej. Czy jedna jedyna noc i łatwe pieniądze mogły pchnąć ją jeszcze dalej, do punktu, skąd już nie ma odwrotu? O co chodziło w tej jednej chwili: czy był to niespodziewany uśmiech losu, czy też próba, na jaką wystawiała ją Najświętsza Panienka?

Wzrok Araba błądził po obrazie Joana Miró, po stoliku, przy którym siadywał Fellini, po młodej szatniarce, po twarzach klientów.

– Pani się tego nie spodziewała?

– Poproszę jeszcze wina – zdołała wykrztusić Maria przez łzy.

Modliła się w duchu, by kelner nie podszedł i nie spostrzegł, co się dzieje. A kelner, który obserwował salę kątem oka, modlił się, by mężczyzna z tą smarkulą szybko uregulował rachunek i wyszedł, bo restauracja była pełna, a nowi goście już czekali na wolny stolik.

Wreszcie po czasie, który wydał się jej wiecznością, spytała:

– Drink za tysiąc franków? To pan powiedział – sama zdziwiła się tonem swego głosu.

– Tak – odparł Arab, żałując, że w ogóle złożył jej tę propozycję. – Lecz nie chcę w żaden sposób...

– Proszę zapłacić rachunek i chodźmy na tego drinka do pańskiego hotelu.

Wydała się sobie obca. Dotąd, jako dobrze wychowana grzeczna panienka, nigdy nie zdobyłaby się na podobny ton w rozmowie z nieznajomym. Jednak najprawdopodobniej ta grzeczna panienka umarła – przed Marią otwierało się inne życie. Życie, w którym drinki warte były tysiąc franków szwajcarskich.

Wszystko odbyło się dokładnie tak, jak można było przewidzieć: poszła do hotelu z Arabem, wypiła butelkę szampana, zaszumiało jej w głowie, rozłożyła nogi, poczekała na jego orgazm (nawet nie przyszło jej do głowy, by udawać, że też ma), umyła się w wykładanej marmurem łazience, wzięła pieniądze i pozwoliła sobie na luksus powrotu taksówką.

Rzuciła się na łóżko i zasnęła kamiennym snem.

Dziennik Marii, pisany nazajutrz:

Pamiętam wszystko, poza chwilą, w której podjęłam decyzję. To dziwne, ale nie mam poczucia winy. Do tej pory uważałam, że dziewczyny idą do łóżka za pieniądze, bo życie nie pozostawiło im żadnego innego wyboru. Teraz widzę, że to nieprawda. Mogłam powiedzieć tak lub nie, nikt mnie do niczego nie zmuszał. Przyglądam się przechodniom na ulicy. Czy oni wybrali swoje życie? Czy też, podobnie jak w moim przypadku, życie wybrało za nich? Gospodyni domowa, która marzyła kiedyś o karierze modelki; urzędnik bankowy, który myślał, że będzie muzykiem; dentysta, który wolałby poświęcić się literaturze; dziewczyna, która pragnęła pracować w telewizji, a dziś jest kasjerką w supermarkecie...

Wcale nie użalam się nad sobą. Nie jestem ofiarą, skoro mogłam wyjść z restauracji zachowując godność i pusty portfel. Mogłam wygłosić temu mężczyźnie wykład o moralności albo pokazać mu, że ma przed sobą księżniczkę, którą lepiej zdobyć, niż kupić. Mogłam zachować się na wiele różnych sposobów, lecz – jak większość ludzi – pozwoliłam, by los wybrał za mnie.

Pewnie, że mój los może wydać się bardziej przyziemny i mniej ważny niż los innych ludzi. Lecz w pogoni za szczęściem wszyscy mamy równe szanse – urzędnik-muzyk, dentysta-pisarz, kasjerka-spikerka, gospodyni-modelka – i nikt z nas nie jest szczęśliwy.

A więc było to aż tak łatwe? Maria znajdowała się w obcym mieście, w którym nikogo nie znała, i to, co wczoraj było dla niej koszmarem, dziś dawało jej bezgraniczne poczucie wolności – nie musiała się przed nikim tłumaczyć.

Po raz pierwszy od wielu lat postanowiła poświęcić cały dzień sobie. Dotąd zawsze martwiła się, co powiedzą inni: matka, koleżanki z klasy, ojciec, pracownicy agencji modelek, nauczyciel francuskiego, kelner z restauracji, bibliotekarka, obcy ludzie na ulicy. A tak naprawdę nikt niczego specjalnego sobie nie myślał o biednej cudzoziemce, którą była, i nikt, nawet policja, nie zauważyłby, gdyby nagle zniknęła.

Dość. Wyszła wcześnie z domu, zjadła śniadanie tam gdzie zawsze, pospacerowała trochę wokół jeziora, minęła manifestację uchodźców. Jakaś kobieta z małym pieskiem powiedziała jej, że to Kurdowie, a Maria, jak zwykle, zamiast udawać bardziej wykształconą i inteligentniejszą, niż była, spytała:

– Skąd się tutaj wzięli Kurdowie?

Ku jej zaskoczeniu, kobieta nie umiała odpowiedzieć. Taki jest świat. Ludzie zachowują się tak, jakby zjedli wszystkie rozumy, a jeżeli przyjdzie wam do głowy zadać im proste pytanie, okaże się, że nie wiedzą nic. Maria weszła do pobliskiej kawiarenki internetowej i sprawdziła, że Kurdowie pochodzą z Kurdystanu, kraju nieuznawanego przez nikogo i podzielonego pomiędzy Turcję i Irak. Wróciła, by odnaleźć kobietę z pieskiem, ale tamtej już nie było.

„Oto kim jestem. Lub raczej kim byłam: osobą, która udawała, że wszystko wie, dobrze ukrytą za murem milczenia, aż ten Arab sprawił, że odważyłam się powiedzieć mu o tym, co wiedziałam, czyli o różnicy pomiędzy colą i pepsi. Czy był zaskoczony? Czy zmienił zdanie na mój temat? Ależ skąd! Uznał, że moja spontaniczność jest fantastyczna! Zawsze traciłam, gdy udawałam sprytniejszą, niż jestem. Dosyć tego, basta!".

Przypomniała sobie o agencji modelek. Czy dzwoniąc do niej, znali zamiary Araba – wtedy po raz kolejny wyszłaby na niewiniątko – czy też naprawdę myśleli, że chce zaproponować jej pokaz mody w którymś z krajów arabskich?

Tak czy inaczej, czuła się mniej samotna tego szarego ranka w Genewie. Temperatura była bliska zeru, Kurdowie protestowali, tramwaje przyjeżdżały punktualnie co do minuty, wykładano biżuterię w witrynach sklepów jubilerskich, otwierano banki, żebracy spali, Szwajcarzy szli do pracy. Czuła się mniej samotna, bo u jej boku stała inna kobieta, zapewne niewidzialna dla przechodniów. Maria nigdy dotąd nie spostrzegła jej obecności, ale ona tu była.

Uśmiechnęła się do niej. Kobieta podobna do Najświętszej Panienki, matki Jezusa, odpowiedziała jej uśmiechem i poprosiła, by miała się na baczności, bo sprawy nie są takie proste, jak sądzi. Maria nie zwróciła w ogóle uwagi na tę radę. Odparła, że jest już dorosła, świadoma swoich wyborów i nie wierzy, by istniał jakiś niedorzeczny spisek przeciwko niej. Odkryła, że są na świecie ludzie gotowi zapłacić tysiąc franków szwajcarskich za wieczór w jej towarzystwie, za pół godziny pomiędzy jej nogami, musiała tylko zdecydować w najbliższych dniach, czy za te tysiąc franków kupi bilet na samolot i wróci do domu, czy też zatrzyma się w Genewie na dłużej, by zarobić na wymarzony dom dla rodziców, piękne stroje i podróże do odległych zakątków świata.

Niewidzialna kobieta powtórzyła z naciskiem, że sprawy nie są wcale takie proste, jak by się mogło wydawać na pierwszy rzut oka, lecz Maria, zadowolona wprawdzie z tego nieoczekiwanego towarzystwa, poprosiła o chwilę do namysłu. Musiała podjąć ważne decyzje.

Po raz kolejny wzięła pod rozwagę, tym razem na serio, możliwość powrotu do Brazylii. Jej szkolne koleżanki, które nigdy nie wytknęły nosa ze swej dziury, z pewnością będą plotkować jak najęte, że wróciła, gdyż nie miała dosyć talentu, by stać się gwiazdą światowego formatu. Matka będzie zawiedziona i smutna, bo nigdy nie dostanie obiecanych pieniędzy – mimo gorących zapewnień Marii, że przekazy ginęły na poczcie. Ojciec będzie się jej przyglądał do końca życia z cichym wyrzutem: „wiedziałem, że tak będzie". A ona wróci do pracy w sklepie tekstylnym i wyjdzie za mąż za jego właściciela... Ale przecież leciała już samolotem, jadła szwajcarski ser w Szwajcarii, nauczyła się francuskiego i chodziła po śniegu!

Z drugiej strony tutaj były drinki za tysiąc franków. Być może, nie potrwa to długo – wszak uroda nie jest wieczna – lecz przez rok zarobi dość pieniędzy, by tym razem sama mogła dyktować reguły gry. Jedyny problem polegał na tym, że nie wiedziała, jak się do tego zabrać. Kiedy pracowała jeszcze jako tancerka samby, jedna z dziewczyn przebąkiwała coś o ulicy Berneńskiej.

Maria przystanęła przed wielką tablicą, jakich wiele przy głównych ulicach Genewy. Po jednej stronie była reklama, po drugiej plan miasta.

Zapytała o ulicę Berneńską przygodnego przechodnia. Spojrzał na nią ze zdziwieniem, chciał upewnić się, czy rzeczywiście szuka okrytej złą sławą ulicy Berneńskiej, czy też chodzi jej o drogę prowadzącą do Berna, stolicy Szwajcarii.

– Nie – odparła – szukam ulicy, która znajduje się gdzieś tutaj w pobliżu.

Mężczyzna zmierzył ją od stóp do głów i oddalił się bez słowa w przekonaniu, że jest filmowany z ukrytej kamery do jednego z owych programów telewizyjnych, w których ku uciesze gawiedzi ośmiesza się przypadkowych ludzi. Maria studiowała plan około kwadransa – miasto nie było znów takie duże – aż wreszcie odkryła miejsce, którego szukała.

Jej niewidzialna przyjaciółka, dotąd milcząca, zaczęła do niej mówić nie tyle o moralności, ile o groźbie wejścia na drogę prowadzącą donikąd. Maria odparła, że skoro udało się jej znaleźć środki, by wyjechać do Szwajcarii, to jest w stanie znaleźć wyjście z każdej sytuacji. Poza tym nikt spośród ludzi, z którymi się zetknęła, nie wybierał tego, co chciałby robić. Taka jest rzeczywistość.

– Żyjemy na padole łez – powiedziała niewidzialnej przyjaciółce. – Można marzyć do woli, ale życie jest trudne i pełne pułapek. Co chcesz mi powiedzieć? Że zostanę potępiona? Nikt się nie dowie, zresztą to nie potrwa długo.

Kobieta zniknęła, z uśmiechem łagodnym, lecz smutnym.

Maria poszła do wesołego miasteczka, kupiła bilet na diabelski młyn, wrzeszczała jak wszyscy wniebogłosy, w pełni świadoma, że skoro jest to tylko rozrywka, nie grozi jej żadne niebezpieczeństwo. Zjadła obiad w japońskiej restauracji, nie wiedząc wprawdzie, co je, ale było to bardzo drogie. Teraz już mogła pozwolić sobie na każdy luksus. Rozpierała ją radość, nie musiała czekać na telefon ani liczyć się z każdym groszem.

Pod koniec dnia zadzwoniła do agencji, powiedziała,

że spotkanie przebiegło pomyślnie, i na pożegnanie podziękowała. Jeżeli była to poważna agencja – zapytają
o pokaz mody. Jeżeli nie – umówią ją na dalsze spotkania.

Postanowiła, że pod żadnym pozorem nie kupi telewizora, nawet jeśli będzie ją na to stać. Powinna zastanowić się nad sobą, wykorzystać cały wolny czas
na rozmyślania.

Pamiętnik Marii pisany tego samego wieczoru (z adnotacją na marginesie: „Nie jestem do końca przekonana"):

Zrozumiałam, w jakim celu mężczyzna płaci za towarzystwo kobiety: chce być szczęśliwy.
Nie płaci się przecież tysiąca szwajcarskich franków tylko po to, by mieć orgazm. On chce być szczęśliwy. Ja też tego chcę, wszyscy tego chcą, lecz nikomu się to nie udaje. Cóż mam do stracenia, jeżeli postanowię na jakiś czas zostać... trudno to słowo wypowiedzieć czy napisać... Cóż mam do stracenia, jeżeli postanowię być prostytutką przez jakiś czas?
Honor? Godność? Szacunek do siebie? Gdyby dobrze się nad tym zastanowić, nigdy tego nie miałam. Nie prosiłam się na świat, nikt mnie nie pokochał, zawsze podejmowałam błędne decyzje – teraz pozwolę życiu zadecydować za mnie.

Następnego dnia oddzwoniono z agencji modelek: pytali ją o zdjęcia, chcieli dowiedzieć się o termin pokazu mody, gdyż od każdej transakcji pobierali prowizję. Maria powiedziała, że Arab ma się z nimi skontaktować, i wywnioskowała od razu, że jednak o niczym nie mieli pojęcia. Poszła do biblioteki i zażyczyła sobie książek o seksie. Jeżeli rzeczywiście zamierzała pracować – tylko przez jeden rok, jak sobie obiecała – w dziedzinie, na której się nie znała, przede wszystkim powinna nauczyć się, jak dawać rozkosz i jak brać w zamian pieniądze.

Przeżyła głębokie rozczarowanie, gdy bibliotekarka wyjaśniła jej, że jako instytucja publiczna mają tylko nieliczne rozprawy czysto naukowe. Maria przeczytała spis treści jednej z nich i od razu oddała ją z powrotem. Była tam tylko mowa o erekcji, penetracji, impotencji, antykoncepcji... Zaczęła zastanawiać się nad wypożyczeniem *Psychologicznych przyczyn oziębłości u kobiet*, gdyż sama osiągała orgazm tylko dzięki masturbacji, choć bywało, że stosunek z mężczyzną sprawiał jej przyjemność.

Jednak nie szukała przecież rozkoszy, tylko intratnego zajęcia. Pożegnała się z bibliotekarką, weszła do sklepu i po raz pierwszy zainwestowała w rysującą się w oddali karierę – kupiła stroje, które wydały się jej wystarczająco seksowne, by rozpalić męskie zmysły. Następnie udała się na ulicę Berneńską, która brała swój początek tuż przy kościele (dziwnym trafem, nieopodal japońskiej restauracji, w której poprzedniego dnia jadła obiad!). Po obu stronach ciągnęły się sklepy z tandetnymi zegarkami, a na drugim końcu znajdowały się nocne lokale, zamknięte o tej porze dnia. Pospacerowała wokół jeziora, kupiła sobie – bez cienia skrępowania – pięć pism pornograficznych, poczekała do zmierzchu i ponownie skierowała się na ulicę Berneńską. Wybrała na chybił trafił bar o dźwięcznej brazylijskiej nazwie: „Copacabana".

„Nic nie jest jeszcze przesądzone – mówiła sobie. – To tylko próba". Odkąd przyjechała do Szwajcarii, nigdy nie czuła się tak dobrze i tak swobodnie.

– Szukasz pracy – skonstatował mężczyzna zmywający kieliszki za barem.

Na lokal składało się parę stolików, zakątek z czymś w rodzaju tanecznego parkietu i kilka sof pod ścianami.

– To niełatwe. Przestrzegamy prawa. Aby pracować tutaj, musisz mieć przynajmniej pozwolenie na pracę.

Maria pokazała swoje pozwolenie. Mężczyźnie wyraźnie poprawił się humor.

– Masz jakieś doświadczenie?

Nie wiedziała, co odpowiedzieć: jeżeli przytaknie, zapyta ją, gdzie je zdobyła. Jeżeli zaprzeczy, może odmówić.

– Piszę książkę.

Pomysł pojawił się znikąd, jakby jakiś głos przybył jej z odsieczą. Mężczyzna, choć wiedział, że to kłamstwo, udał, że jej wierzy.

– Zanim podejmiesz decyzję, pogadaj z dziewczynami. Jest tu co najmniej sześć Brazylijek, dowiedz się od nich, co cię czeka.

Maria chciała powiedzieć, że nie potrzebuje niczyich rad, że klamka jeszcze nie zapadła, ale mężczyzna przeszedł już na drugi koniec kontuaru, pozostawiając ją samą sobie.

Przyszły dziewczyny. Właściciel poprosił kilka Brazylijek, by porozmawiały z nowo przybyłą. Żadna się do tego nie kwapiła, z czego Maria wywnioskowała, że jak ognia boją się konkurencji. W lokalu włączono muzykę, popłynęło kilka brazylijskich przebojów (przecież nie od parady lokal nazywał się „Copacabana"). Potem weszły dziewczyny o azjatyckich rysach i inne, które wydawały się pochodzić z zaśnieżonych gór leżących w okolicach Genewy. Po dwóch godzinach i kilku wypalonych papierosach, straszliwie spragniona, z każdą chwilą coraz bardziej pewna, że źle postępuje, z pytaniem „co ja tutaj właściwie robię?" powracającym jak refren, poirytowana brakiem zainteresowania zarówno ze strony właściciela, jak i pracujących tu dziewczyn, Maria spostrzegła, że jedna z Brazylijek idzie w jej stronę.

– Dlaczego wybrałaś to miejsce?

Mogła wykorzystać pretekst książki lub podobnie jak w przypadku Kurdów i Joana Miró powiedzieć prawdę.

– Ze względu na nazwę. Nie wiem, od czego zacząć, i szczerze mówiąc, nawet nie wiem, czy w ogóle chcę zaczynać.

Dziewczyna wydała się zaskoczona tą szczerą i bezpośrednią odpowiedzią. Wypiła łyk whisky, rzuciła kilka zdawkowych uwag o tęsknocie za krajem, oznajmiła, że tego wieczoru będzie mały ruch, gdyż odwołano wielki międzynarodowy kongres, który miał odbywać się w pobliżu Genewy. Na koniec, gdy zobaczyła, że Maria nadal jej słucha, powiedziała:

– To bardzo proste, musisz tylko przestrzegać trzech podstawowych reguł. Po pierwsze, nie zakochaj się w kliencie. Po drugie, nie wierz obietnicom i zawsze każ sobie płacić z góry. Po trzecie, nie bierz narkotyków... – zawiesiła głos – ...i zacznij od razu. Jeżeli wrócisz do siebie dziś wieczór i nie uda ci się znaleźć faceta, dopadną cię wątpliwości i nie wystarczy ci odwagi, by tu wrócić.

Maria, która przygotowana była na wysłuchanie prostej porady na temat ewentualnego czasowego zatrudnienia, pojęła, że została przyparta do muru przez uczucie, które każe podejmować decyzję bez namysłu – rozpacz.

– Dobrze. Zaczynam od dziś.

Nie przyznała się, że zaczęła już poprzedniego wieczoru. Podeszła do właściciela baru.

– Czy masz na sobie ładną bieliznę? – spytał ją bez ceregieli.

Do tej pory nikt nie ośmielił się jej zadać tak intymnego pytania. Ani kochankowie, ani przyjaciółki, a już tym bardziej ktoś obcy. Lecz życie w tym lokalu było właśnie takie: bez ceregieli.

– Mam błękitne majtki i nie noszę stanika – rzuciła prowokacyjnie.

– Jutro włóż czarne majtki, stanik i pończochy. Seksowna bielizna będzie ci tutaj niezbędna.

Pewien już, że ma do czynienia z nowicjuszką, Milan wyjaśniał jej dalej: „Copacabana" to przytulny lokal, nie burdel. Mężczyźni chcą wierzyć, że spotkają tu kobiety samotne, bez pary. Jeżeli któryś podejdzie do jej stolika, z pewnością spyta, czy czegoś się napije.

Na co Maria będzie mogła odpowiedzieć „tak" lub „nie". Do niej należy decyzja o doborze towarzystwa, choć lepiej nie odmawiać więcej niż raz jednego wieczoru. Jeżeli przyjmie propozycję, zamówi koktajl owocowy, notabene najdroższy napój w karcie. Nie ma mowy o alkoholu, nie ma mowy, by klient wybierał za nią. Następnie może przyjąć zaproszenie do tańca. Większość mężczyzn to stali bywalcy i poza „szczególnymi" klientami, nad którymi Milan się zbyt długo nie rozwodził, żaden nie stanowi najmniejszego ryzyka. Policja i Ministerstwo Zdrowia wymagały comiesięcznych badań krwi, by mieć pewność, że dziewczyny nie są nosicielkami chorób wenerycznych. Używanie prezerwatyw jest obowiązkowe, choć nie ma żadnego sposobu, by sprawdzić, czy zasada ta jest przestrzegana. Pod żadnym pozorem nie wolno im wywoływać skandalu – Milan miał żonę i dzieci; jako głowa rodziny dbał o reputację zarówno swoją, jak i „Copacabany".

Po tańcu wracają do stolika, a klient, zupełnie jakby proponował coś zaskakującego, zaprasza ją do hotelu. Zwykła stawka wynosi trzysta pięćdziesiąt franków, z czego pięćdziesiąt wędruje do kieszeni Milana za wynajem stolika (wybieg prawny, by uniknąć kłopotów sądowych i zarzutów o czerpanie zysku z nierządu).

– Ależ ja zarobiłam tysiąc franków za... – usiłowała wtrącić Maria.

Właściciel dał jej znak, by się oddaliła. Brazylijka,

która przysłuchiwała się rozmowie, wtrąciła szybko:

– Ona tylko żartuje.

I po portugalsku zwróciła się do Marii stanowczo:

– To najdroższe miejsce w Genewie – (tutaj miasto nazywało się Genewa, a nie Genebra). – Nigdy więcej nie opowiadaj takich bzdur. On zna cenę rynkową i wie, że nikt nie płaci za pójście do łóżka tysiąc franków, oprócz – jeżeli masz szczęście i coś potrafisz – klientów „specjalnych".

Wzrok Milana, który, jak się później okazało, był Jugosłowianinem i mieszkał w Szwajcarii od dwudziestu lat, nie pozostawiał cienia wątpliwości.

– Stawka wynosi trzysta pięćdziesiąt franków.

– Tak, taka jest stawka – powtórzyła Maria upokorzona.

Najpierw pyta o kolor jej bielizny, potem decyduje o cenie jej ciała.

Ale nie miała czasu na dąsy. Milan udzielał dalszych instrukcji: nie wolno przyjmować zaproszeń do prywatnych rezydencji ani do hoteli poniżej pięciu gwiazdek. Jeżeli klient nie wie, dokąd ją zabrać, to ona ma wybrać hotel o parę przecznic stąd, zawsze z dojazdem taksówką, aby kobiety z innych lokali przy ulicy Berneńskiej nie zaczęły rozpoznawać jej twarzy. Maria nie uwierzyła w to, pomyślała, że prawdziwym powodem była raczej obawa, że konkurencja zaoferuje jej pracę na korzystniejszych warunkach. Ale zatrzymała dla siebie swoje uwagi – wysokość stawki była dla niej nauczką.

– Powtarzam: tak jak policjanci w filmach, nigdy nie pij w pracy. Zostawię cię teraz, zaczyna się ruch.

– Podziękuj mu – szepnęła Brazylijka po portugalsku. Maria podziękowała. Milan uśmiechnął się.

– Jeszcze jedno – powiedział na odchodne – czas, jaki upłynie od chwili zamówienia koktajlu do wyjścia, nie może w żadnym wypadku przekroczyć czterdziestu pięciu minut. W Szwajcarii, kraju zegarków, nawet Jugosłowianie i Brazylijczycy uczą się przestrzegać czasu. Pamiętaj, że ja z twojej prowizji muszę wyżywić dzieci.

Będzie o tym pamiętać.

Podał jej szklankę wody mineralnej z plasterkiem cytryny – co mogło spokojnie uchodzić za gin z tonikiem – i poprosił, by cierpliwie czekała.

Stopniowo lokal się zapełniał. Mężczyźni wchodzili, rozglądali się wokół, siadali samotnie przy stolikach. Obsługa pojawiała się bez ociągania, jakby to było przyjęcie, na którym wszyscy się znają i przyszli tu, by trochę odsapnąć po ciężkim dniu pracy. Za każdym razem, gdy jakiś mężczyzna znajdował sobie towarzyszkę, Maria wzdychała z ulgą, choć czuła się już swobodniej niż na początku wieczoru. Może dlatego, że była to Szwajcaria, a może dlatego, że wierzyła, że wcześniej czy później spotka ją przygoda, zdobędzie majątek lub męża, tak jak zawsze o tym marzyła. Może dlatego – z czego zdała sobie właśnie sprawę – że po raz pierwszy od tygodni wyszła wieczorem do baru, gdzie grała muzyka i gdzie mogła usłyszeć portugalski. Żartowała z dziewczynami, które tu pracowały, śmiała się i piła koktajle owocowe.

Żadna z nich nie gratulowała jej decyzji ani nie życzyła szczęścia, ale to było normalne: czyż w pewnym sensie nie stała się ich rywalką? Wszystkie walczyły o to samo trofeum. Maria poczuła się dumna – nie ustąpiła z pola bitwy. Gdyby tylko chciała, mogła wstać, otworzyć drzwi i odejść stąd na zawsze. Nigdy nie zapomni, że miała odwagę dotrzeć na ulicę Berneńską, negocjować i dyskutować o sprawach, o których wcześniej nie ośmieliłaby się nawet pomyśleć. Nie była ofiarą losu: podejmowała ryzyko, zaskakiwała samą siebie, przeżywała coś, co na stare lata, w skrytości ducha, będzie mogła wspominać z nostalgią.

Była pewna, że nikt do niej nie podejdzie. Jutro wszystko to wyda jej się szalonym snem, który nigdy się nie powtórzy. Tysiąc franków za jedną noc może zdarzyć się tylko raz. Czy nie byłoby rozsądniej kupić bilet powrotny do Brazylii? Zaczęła liczyć, ile może zarobić każda z dziewczyn – jeżeli ma trzech klientów, to w jeden wieczór zarabia równowartość jej dwóch dawnych miesięcznych pensji w sklepie tekstylnym.

Aż tyle? Ona dostała wprawdzie tysiąc franków za jedną noc, ale był to zapewne łut szczęścia początkującej. W każdym razie dochody prostytutki były o wiele wyższe niż pensja prywatnej nauczycielki francuskiego w Brazylii. W zamian musiała jedynie przesiadywać w barze, tańczyć, rozkładać nogi i po wszystkim. Rozmowa nie była nawet konieczna.

Pieniądze to niezła motywacja. Ale czy jedyna? A może dla ludzi, którzy tu przychodzili, dla klientów i kobiet, to swoista rozrywka? Jeżeli będzie używała prezerwatywy, nic jej nie grozi. Nie grozi jej także, że rozpozna ją ktoś z jej kraju. Nikt stamtąd nie przyjeżdżał do Genewy, poza biznesmenami, którzy wolą odwiedzać banki. Brazylijczycy mają słabość do zakupów, ale wybierają raczej Paryż czy Miami.

Dziewięćset franków dziennie przez pięć dni w tygodniu! Toż to majątek! Co te dziewczyny jeszcze tu robią, skoro w miesiąc zarabiały dość, by kupić dom swym matkom? A może one tu pracują dopiero od niedawna? A może – Maria przeraziła się samego pytania – to im się podoba?

Znów miała ochotę się napić. Szampan bardzo jej pomógł poprzedniego dnia.

– Czy mogę postawić pani drinka?

Przed nią stał trzydziestoletni mężczyzna w mundurze pilota.

Maria zobaczyła tę scenę w zwolnionym tempie. Odniosła wrażenie, że wychodzi ze swego ciała i przygląda się sobie z zewnątrz. Umierając ze wstydu, walcząc z rumieńcem, skinęła głową, uśmiechnęła się i zrozumiała, że wraz z tą chwilą jej życie zmieniło się na zawsze.

Koktajl owocowy, zdawkowa rozmowa: Co pani tu robi? Ale zimno, prawda? Podoba mi się ta muzyka, ale wolę Abbę. Szwajcarzy są chłodni. Czy pani pochodzi z Brazylii? Niech mi pani opowie coś o swoim kraju. Macie bajeczny karnawał. Brazylijki są piękne. Czy wie pani o tym?

Uśmiechnąć się i przyjąć komplement, czy może udać lekko speszoną? Zatańczyć, lecz zwracać bacznie uwagę na spojrzenie Milana, który raz po raz drapie się po głowie i wymownie wskazuje zegarek na nadgarstku. Zapach mężczyzny. Natychmiast pojmuje, że musi się przyzwyczaić do zapachów. To jest przynajmniej zapach dobrej wody kolońskiej. Tańczą mocno przytuleni. Jeszcze jeden koktajl owocowy, czas mija nieubłaganie, czyż Milan nie mówił o czterdziestu pięciu minutach? Spojrzała ukradkiem na zegarek, mężczyzna zapytał ją, czy na kogoś czeka, odpowiedziała, że za godzinę mają przyjść znajomi. Zaprasza ją do wyjścia. Hotel, trzysta pięćdziesiąt franków, prysznic po stosunku. To nie jest Maria, to jakaś inna osoba, która mieszka w jej ciele. Osoba ta nic nie czuje, odprawia mechanicznie pewnego rodzaju rytuał. Jest aktorką. Milan nauczył ją wszystkiego, nie powiedział tylko, jak żegnać się z klientem: dziękuje mu, on także czuje się niezręcznie, jest śpiący.

Maria walczy ze sobą. Chciałaby pojechać do siebie, ale musi wrócić do lokalu, by dać pięćdziesiąt franków Milanowi. Potem kolejny mężczyzna, kolejny koktajl, pytanie o Brazylię, hotel, znów prysznic, powrót do baru, właściciel pobiera swą prowizję i zwalnia ją do domu – tego wieczoru jest mały ruch. Maria nie łapie taksówki, przemierza pieszo ulicę Berneńską, patrzy na inne nocne lokale, wystawy sklepów zegarmistrzowskich, kościół na rogu (zamknięty, ciągle zamknięty...). Nikt jej nie zaczepia – jak zwykle.

Noc jest mroźna. Maria nie czuje chłodu, nie płacze, nie myśli o zarobionych pieniądzach, jest niczym w transie. Niektórzy ludzie przyszli na świat, by samotnie borykać się z losem, ani to dobre, ani złe, takie jest życie. Maria jest jedną z nich.

Zmusza się jednak, by pomyśleć o tym, co się wydarzyło. Właśnie zadebiutowała, a mimo to już uważa się za profesjonalistkę, wydaje się jej, że pracuje od bardzo dawna, że nic innego nie robiła przez całe życie. Odczuwa dziwną tkliwość dla samej siebie, cieszy się, że nie uciekła. Musi teraz zdecydować, czy będzie robić to nadal. Jeżeli tak, to stanie się w tym fachu najlepsza.

Pamiętnik Marii pisany tydzień później:

Nie jestem ciałem, w którym mieszka dusza, jestem duszą, która ma widzialną część zwaną ciałem. Przez ostatnie dni ta dusza obserwowała moje ciało bez chwili przerwy. Nie mówiła nic, nie krytykowała, nie litowała się – po prostu mu się przyglądała.

Od bardzo dawna nie myślałam o miłości. Mam wrażenie, że miłość ode mnie uciekła, jakby nie czuła się mile widziana. A jednak jeżeli przestanę myśleć o miłości, będę niczym.

Gdy nazajutrz przyszłam do „Copacabany", patrzono już na mnie z większym szacunkiem – zapewne wiele dziewcząt pojawia się tam na jeden wieczór i nie wraca nigdy więcej. Ta, która wraca, staje się kimś w rodzaju sprzymierzeńca, towarzysza podróży, bo może zrozumieć powody – a raczej brak powodów – dla których wybrało się taki sposób na życie.

Wszystkie te dziewczyny marzą o mężczyźnie, który odkryłby w nich prawdziwą kobietę, zmysłową przyjaciółkę. Ale wiedzą, że to płonne nadzieje.

Muszę pisać o miłości. Muszę myśleć, myśleć i pisać o miłości – inaczej moja dusza tego nie zniesie.

Oczywiście Maria powtarzała sobie, że miłość jest najważniejsza, ale nie zapominała też rady, której udzielono jej pierwszego dnia, i o miłości pisała wyłącznie na kartach pamiętnika. Poza tym desperacko szukała sposobu, by stać się najlepszą w swoim fachu i w krótkim czasie zarobić furę pieniędzy. Chciała też znaleźć jakieś usprawiedliwienie dla tego, kim się stała. To było jednak najtrudniejsze, bo jaki miała tak naprawdę powód, by robić to, co robiła?

Z konieczności? To nie było do końca tak – wszyscy chcą zarabiać pieniądze, ale nie wszyscy decydują się żyć na marginesie społeczeństwa. Z potrzeby nowych doświadczeń? Doprawdy? To czemu nigdy nie spróbowała jeździć na nartach, czy pływać łodzią po Jeziorze Genewskim? Robiła to, co robiła, ponieważ nie miała już nic do stracenia, a jej życie było codziennym, nieustającym pasmem frustracji?

Nie, żadna z tych odpowiedzi nie pasowała. Lepiej było nie myśleć i cieszyć się tym, co przynosi los. Dzieliła pragnienia wszystkich prostytutek, które dotąd spotkała, a szczytem ich marzeń było zamążpójście i dostatnie życie. Te, które o tym nie myślały, albo już miały męża (co trzecia jej koleżanka była zamężna), albo dopiero co się rozwiodły. Aby lepiej zrozumieć samą siebie, Maria starała się pojąć, dlaczego jej koleżanki wybrały ten zawód:

a) Musiały pomóc mężowi w utrzymaniu rodziny. (A zazdrość? A gdyby w „Copacabanie" pojawił się znajomy męża? Przeraziła ją ta myśl).

b) Chciały zbudować dom swym matkom (szczytny cel, ale tak naprawdę nadużywany, również przez nią, pretekst).

c) Musiały zarobić na powrót do kraju. (Kolumbijki, Tajki, Peruwianki i Brazylijki uwielbiały powoływać się na ten argument, ale nawet kiedy zebrały już wielokrotność ceny biletu, natychmiast wydawały te pieniądze, z obawy że ich marzenie się urzeczywistni).

d) Dla przyjemności (to mijało się z prawdą i brzmiało fałszywie).

e) Nie udało się im znaleźć żadnego innego zajęcia (to też była nieprawda, Szwajcaria obfitowała w oferty pracy dla sprzątaczek, opiekunek, kucharek...).

Krótko mówiąc, nie znalazła żadnego przekonującego uzasadnienia i dała sobie z tym spokój.

Stwierdziła, że Milan, właściciel „Copacabany", miał rację: nikt już nigdy nie zaproponował jej tysiąca franków szwajcarskich za noc. Natomiast żaden klient nie protestował, gdy żądała trzystu pięćdziesięciu franków, jakby mężczyźni dobrze znali stawkę, a jeśli stawiali pytanie: ile? – to tylko po to, by ją upokorzyć lub uniknąć przykrej niespodzianki.

Jedna z dziewczyn oświadczyła jej pewnego dnia:

– Prostytucja nie jest zawodem jak inne. Ta, która zaczyna, zarabia więcej, ta, która ma doświadczenie, zarabia mniej. Zawsze udawaj, że jesteś debiutantką.

Maria nie wiedziała jeszcze, kim byli „klienci specjalni", usłyszała o nich tylko pierwszego wieczoru. Poznała kilka sztuczek zawodowych. Na przykład, nigdy nie pytać klienta o jego życie prywatne, uśmiechać się i mówić jak najmniej, nigdy nie umawiać się poza godzinami pracy. Najważniejszą radę dała jej Nyah, Filipinka:

— Musisz jęczeć podczas orgazmu. W ten sposób klient pozostanie ci wierny.

— Ale po co? Płacą, by mieć przyjemność.

— Mylisz się. Erekcja to jeszcze nie dowód, że mężczyzna jest stuprocentowym samcem. Jest nim, jeżeli potrafi dać rozkosz kobiecie. A jeżeli potrafi dać rozkosz prostytutce, uważa się za najlepszego spośród wszystkich samców.

Tak minęło sześć miesięcy. „Copacabana" była jednym z najdroższych lokali przy ulicy Berneńskiej. Klientela składała się głównie z dyrektorów firm i wysoko postawionych urzędników, którym wolno było wracać do domu późno ze względu na „służbowe kolacje", jednak nie później niż o dwudziestej trzeciej.

Wiek pracujących tu prostytutek wahał się między osiemnastym a dwudziestym drugim rokiem życia. Pozostawały w lokalu średnio przez dwa lata, potem przechodziły do „Néon", następnie do „Xenium"; w miarę jak przybywało im lat, cena ich usług spadała, a czas pracy się kurczył. Potem prawie wszystkie lądowały w „Tropical Extasy", gdzie przyjmowano kobiety po trzydziestce. Tam, dzięki jednemu lub dwóm studentom dziennie, udawało im się jakoś wiązać koniec z końcem.

Maria spała z wieloma mężczyznami. Nigdy nie interesował jej ich wiek ani marka garniturów, które nosili. Jej „tak" lub „nie" zależało od ich zapachu. Nie miała nic przeciwko papierosom, lecz nie znosiła tanich wód toaletowych, niechlujstwa i odoru przetrawionego alkoholu. „Copacabana" była spokojnym lokalem, a Szwajcaria być może najlepszym miejscem na świecie dla prostytutki, o ile posiadała kartę pobytu, pozwolenie na pracę i skrupulatnie płaciła składkę na ubezpieczenie społeczne. Milan powtarzał, że ze względu na dzieci nie chce, by jego nazwisko pojawiło się w prasie brukowej. Mógł się okazać bardziej rygorystyczny niż policjant, gdy chodziło o sprawdzenie, czy jego podopieczne są w porządku z prawem. A podopieczne ciężko pracowały i walczyły z konkurencją. Bywały zestresowane, uskarżały się na zbyt duży ruch. Odpoczywały tylko w niedziele. Większość z nich była wierząca. Chodziły na mszę, modliły się, spotykały z Bogiem.

Tymczasem Maria, by nie zatracić się z kretesem, zmagała się ze swym pamiętnikiem. Odkryła ze zdumieniem, że jeden klient na pięciu nie przychodził wcale po to, by się z nią kochać, lecz by choć trochę porozmawiać. Tacy klienci płacili za konsumpcję, szli do hotelu, a gdy chciała się rozebrać, mówili, że to zbyteczne. Chcieli poskarżyć się na presję w pracy, na żonę, która ich zdradza, opowiedzieć o tym, że czują się samotni i nie mają przed kim się otworzyć (dobrze znała ten stan ducha).

Na początku wydawało jej się to dziwne. Aż do dnia, gdy usłyszała od pewnego Francuza, łowcy głów zajmującego się wyszukiwaniem kandydatów na kierownicze stanowiska:

– Czy wiesz, kto jest najbardziej samotny na świecie? Facet, który robi karierę. Świetnie mu płacą, cieszy się zaufaniem szefa, spędza wakacje z rodziną, pomaga dzieciom odrabiać lekcje. I oto pewnego dnia staje przed nim taki typ jak ja i proponuje: „Czy chce pan zmienić pracę i zarabiać dwa razy więcej?".

Facet ma wszystko, czego do szczęścia potrzeba, a tu nagle staje się najnieszczęśliwszą istotą pod słońcem. Dlaczego? Bo nie ma z kim porozmawiać. Moja propozycja jest dla niego kusząca, ale wie, że nie może jej przedyskutować z kolegami z pracy, gdyż będą próbowali odwieść go od tego zamiaru. Nie może o tym porozmawiać z żoną, która przez lata, gdy był zajęty robieniem kariery, była dla niego podporą, bo ona pragnie tylko poczucia bezpieczeństwa i nie chce słuchać o jakimkolwiek ryzyku. Nie ma się komu zwierzyć, choć stoi przed tak ważnym życiowym wyborem. Czy możesz sobie wyobrazić, co czuje taki człowiek? Nie, to nie taki człowiek był najsamotniejszą istotą pod słońcem. Maria znała bardziej osamotnioną osobę na świecie: była nią ona sama. Jednak skwapliwie przyznała mu rację, licząc na sowity napiwek, który rzeczywiście dostała. Tego dnia pojęła, że musi znaleźć sposób na uwolnienie swych klientów od ogromu przytłaczających ich ciężarów. Miało to podnieść jakość jej usług i dać możliwość dodatkowego zarobku.

Gdy zdała sobie sprawę, że rozładowywanie stresów jest co najmniej tak samo popłatne jak uwalnianie od napięć fizycznych, znów zaglądała często do biblioteki. Prosiła o książki dotyczące problemów małżeńskich, psychologii, polityki. Bibliotekarka odetchnęła z ulgą. Ta miła dziewczyna wreszcie przestała interesować się seksem i zajęła poważniejszymi sprawami. Maria zaczęła regularnie czytać gazety, śledząc strony poświęcone gospodarce, bo jej klienci byli w większości ludźmi biznesu. Dopytywała się o literaturę na temat osobistego rozwoju, ponieważ wszyscy lub prawie wszyscy klienci oczekiwali od niej jakiejś rady. Przestudiowała rozmaite rozprawy o emocjach, gdyż każdy cierpi z takiego bądź innego powodu. Maria była prostytutką z klasą, nie miała sobie równych. Po sześciu miesiącach pracy zdobyła liczną i wierną klientelę, co budziło zawiść, ale także podziw koleżanek.

Sam seks jak dotąd w żaden sposób nie wzbogacił jej życia. Rozkładała nogi, domagała się, by klient założył prezerwatywę, trochę jęczała (dzięki Nyah odkryła, że jęki mogły przynieść nawet pięćdziesiąt franków napiwku) i zaraz po stosunku brała prysznic, bo chciała, by woda choć troszkę obmyła jej duszę. Żadnych pocałunków – pocałunek to dla prostytutki świętość. Nyah uzmysłowiła jej, że powinna zachować pocałunek dla wielkiej miłości, jak Śpiąca Królewna. Pocałunek wyrwie ją ze snu, pozwoli wrócić do krainy baśni. Sprawi, że Szwajcaria znów stanie się krajem czekolady, krów i zegarków.

Żadnych orgazmów, rozkoszy ani podniecenia. W dążeniu do doskonałości Maria obejrzała kilka filmów pornograficznych z zamiarem nauczenia się czegoś, co mogłoby się jej przydać. Odkryła wiele interesujących rzeczy, których nie miała odwagi zaproponować swym klientom. Wymagały czasu, a Milanowi zależało, aby dziewczyny miały po trzech klientów co wieczór.

Po sześciu miesiącach Maria odłożyła sześćdziesiąt tysięcy franków, zaczęła jadać w lepszych restauracjach i myśleć o przeprowadzce do przestronniejszego mieszkania. Mogła pozwolić sobie na kupno książek, lecz wolała chodzić do biblioteki, która była jej jedynym łącznikiem ze światem rzeczywistym, pewniejszym i trwalszym. Ceniła sobie krótkie pogawędki z bibliotekarką. Ta dyskretna kobieta nigdy nie zadawała jej zbyt wielu pytań. Szwajcarzy są z natury raczej powściągliwi i dyskretni (nieprawda – w „Copacabanie” i w łóżku pozbywali się zahamowań, odzyskiwali werwę, ujawniali swe kompleksy, jak wszyscy inni ludzie na świecie).

82

Pamiętnik Marii z pewnego ponurego niedzielnego popołudnia:

Wszyscy mężczyźni, wysocy czy niscy, pewni siebie czy nieśmiali, sympatyczni czy wyniośli, mają jedną wspólną cechę: gdy przekraczają próg „Copacabany", boją się. Bardziej doświadczeni ukrywają swój strach, zagłuszając go hałaśliwością. Ci, którzy mają zahamowania, zaczynają pić w nadziei, że alkohol pozwoli im się rozluźnić. Ale ja nie mam żadnych wątpliwości: poza nielicznymi wyjątkami – „specjalnymi klientami", których Milan mi jeszcze nie przedstawił – wszyscy się boją.

Czego się właściwie boją? Tak naprawdę to ja powinnam drżeć ze strachu. To ja wychodzę, idę w nieznane miejsce, jestem słabsza fizycznie, nie mam żadnej broni. Mężczyźni są bardzo dziwni. Nie tylko ci, którzy przychodzą do „Copacabany", lecz wszyscy, których dotychczas spotkałam. Mogą bić, krzyczeć, grozić, ale kobieta napawa ich śmiertelnym lękiem. Może nie ta, z którą się ożenili, ale zawsze jest jakaś, która przepełnia ich strachem i umie podporządkować wszystkim swoim kaprysom. Choćby ich własna matka.

Mężczyźni, których poznała po przyjeździe do Genewy, próbowali za wszelką cenę okazać pewność siebie, jakby byli panami świata i własnego życia. Lecz Maria widziała w ich oczach paniczny strach przed żoną, popłoch, że nie staną na wysokości zadania, że nie będą mieli erekcji, że nie okażą się stuprocentowymi samcami, nawet przy prostytutce, za której usługi płacili. Gdyby kupili w sklepie parę za ciasnych butów, żądaliby zwrotu pieniędzy. Gdy jednak nie mieli erekcji przy opłaconej kobiecie, nigdy więcej nie pojawiali się w tym samym lokalu z obawy, że historia się rozniesie – a to byłaby hańba!

„Jakie to dziwne! To ja powinnam się wstydzić, a wstydzą się oni".

Dlatego starała się, by czuli się w jej towarzystwie swobodnie, a gdy któryś był zbyt pijany lub nieśmiały, skupiała się na pieszczotach. Takich klientów zadowalało to w pełni – choć Marii nie mieściło się to w głowie, bo równie dobrze mogli onanizować się za darmo.

Trzeba było ciągle uważać, by nie poczuli się zawstydzeni. Ci mężczyźni, tak potężni i pewni siebie na zawodowym gruncie, gdzie dzielnie stawiali czoło szefom i podwładnym, klientom, dostawcom, uprzedzeniom, sekretom, kłamstwom, hipokryzji, lękom, przeciwnościom, kończyli dzień w nocnym lokalu i wydawali trzysta pięćdziesiąt franków, by przestać być sobą przez jeden wieczór.

Przez jeden wieczór? To chyba przesada. Tak naprawdę jakieś czterdzieści pięć minut, a jeżeli odliczyć czas przeznaczony na rozbieranie się, zdawkowe pieszczoty, na kilka mało oryginalnych zdań, na ubranie się, sprowadzało się to właściwie do jedenastu minut.

Jedenaście minut. Oś, wokół której kręci się świat, to zaledwie jedenaście minut.

I z powodu tych jedenastu minut na dobę (zakładając, że kochają się ze swymi kobietami codziennie, co całkowicie mijało się z prawdą) żenili się, walczyli o byt, znosili płacz niemowląt, gubili się w kłamstwach, gdy wracali późno do domu, patrzyli pożądliwie na dziesiątki, setki kobiet, z którymi chętnie umówiliby się na randkę, wydawali majątek na garderobę swoją i żony, fundowali sobie prostytutki, by zaspokoić seksualne fantazje, nakręcali gigantyczny przemysł kosmetyczny, dietetyczny, gimnastyczny, pornograficzny, a gdy spotykali innych mężczyzn, wbrew temu, co się na ogół twierdzi, nigdy nie rozmawiali o kobietach. Mówili o pracy, pieniądzach i sporcie.

Chorobą cywilizacji nie był wyrąb lasów Amazonii, dziurawa powłoka ozonowa, zagłada pand, trująca nikotyna, rakotwórcza żywność, sytuacja w więzieniach, chociaż o tym głownie trąbiły gazety. Chorobą cywilizacji był seks, dziedzina, z której utrzymywała się Maria.

Jednakże Maria miała w nosie ratowanie ludzkości, chciała tylko napełnić konto w banku, przetrwać sześć kolejnych miesięcy, borykając się z własną samotnością i konsekwencjami tego wyboru, i regularnie wspomagać finansowo matkę w Brazylii (do tej pory udawało się jakoś ją przekonać, że nie dostaje pieniędzy, ponieważ szwajcarska poczta nie działa tak dobrze jak brazylijska). Chciała zdobyć wszystko to, o czym zawsze marzyła, a czego nigdy nie miała. Przeprowadziła się

85

do wygodniejszego mieszkania z centralnym ogrzewaniem (choć nastało już lato). Z jej okna rozpościerał się widok na kościół, japońską restaurację, supermarket i sympatyczną kawiarenkę, gdzie zazwyczaj czytywała gazety. A zresztą, jak sobie obiecała, zostało jej jeszcze tylko sześć miesięcy tej monotonii: „Copacabana", czy napije się pani drinka, zatańczymy, co sądzi pan o Brazylii, hotel, zapłata z góry, rozmowa, dotykać ściśle określonych miejsc – zarówno ciała, jak i duszy, szczególnie duszy, pomóc rozwiązać intymne problemy, być powiernicą przez trzydzieści minut, z czego jedenaście zajmie rozłożenie nóg, pojękiwanie, udawanie rozkoszy. Dziękuję, mam nadzieję, że zobaczę pana w przyszłym tygodniu, jest pan prawdziwym mężczyzną, wysłucham dalszej części pańskiej historii, gdy spotkamy się następnym razem, jaki hojny napiwek, ależ nie, nie trzeba, było mi z panem tak dobrze...

Nade wszystko dbała o to, by się nie zakochać. Doradziła jej to pewna Brazylijka, prawdopodobnie dlatego, że sama się zakochała i musiała odejść z „Copacabany". Była to bardzo sensowna rada.

W ciągu ostatnich dwóch miesięcy Maria otrzymała wiele propozycji małżeństwa, z czego przynajmniej trzy były poważne: od dyrektora firmy księgowej, od pilota, z którym spędziła pierwszy wieczór, i od właściciela sklepu specjalizującego się w sprzedaży scyzoryków i białej broni. Wszyscy trzej obiecali, że „wyciągną ją stąd", dadzą jej przyzwoity dom, przyszłość, a nawet dzieci i wnuki.

Za jedyne jedenaście minut dziennie! Po prostu niewiarygodne! A jednak możliwe, bo człowiek może wytrzymać tydzień bez picia, dwa tygodnie bez jedzenia, całe lata bez dachu nad głową, ale nie może znieść samotności. To najgorsza udręka, najcięższa tortura. Tym mężczyznom i wszystkim ludziom, których spotkała, samotność dotkliwie dawała się we znaki. I oni mieli poczucie, że nie liczą się dla nikogo.

Aby uniknąć pokusy miłości, Maria wkładała całe serce w pisanie pamiętnika. Przychodziła do „Copacabany", mając za oręż tylko swoje ciało i swój umysł, coraz bystrzejszy, przenikliwszy. Udało jej się przekonać samą siebie, że do Genewy i na ulicę Berneńską przywiodła ją jakaś wyższa racja. Za każdym razem, gdy wypożyczała książkę w bibliotece, upewniała się w tym przekonaniu: nikt nie napisał niczego sensownego o tych jedenastu najistotniejszych w ciągu całego dnia minutach. Może to było jej przeznaczenie: napisać o tym książkę, opowiedzieć swą historię, swoją przygodę.

Tak, to było to. Przygoda. Choć to słowo dziś rzadko używane i większość ludzi wolała oglądać przygody na telewizyjnym ekranie – ona właśnie tego szukała. Dla niej przygodą były pustynie, podróż w nieznane, studia filmowe, indiańskie plemiona, lodowce, Afryka...

Spodobał się jej pomysł napisania książki. Nadała jej już nawet tytuł: *Jedenaście minut*.

Podzieliła klientów na trzy kategorie. Terminatorzy (z powodu filmu, który oglądała) – od nich czuć było alkohol już od progu, udawali, że nie widzą nikogo, przekonani, że wszyscy im się przyglądają; mało tańczyli i szli prosto do celu: hotel. Pretty Woman (od tytułu innego filmu) starali się być eleganccy, mili, czuli, jakby losy świata zależały od takiej obłudnej dobroci. Udawali, że do lokalu weszli przypadkowo podczas spaceru. Na początku byli łagodni, niepewni siebie gdy wchodzili do hotelu, ale w sumie byli bardziej wymagający od Terminatorów. I wreszcie Ojcowie chrzestni (także od filmu), którzy ciało kobiety traktowali jak towar. Ci byli najbardziej autentyczni. Tańczyli, rozmawiali, nie zostawiali napiwku, znali cenę towaru, który kupowali. Nie daliby się nigdy wciągnąć w rozmowę z kobietą, której płacili za usługi. Oni jedyni w nieuchwytny sposób pojmowali sens słowa „przygoda".

Pamiętnik Marii z dnia, gdy miała okres i nie mogła pracować:

Gdyby przyszło mi dzisiaj opowiedzieć komuś o moim życiu, mogłabym to zrobić w taki sposób, że uznano by mnie za kobietę niezależną, odważną i szczęśliwą. A przecież tak wcale nie jest. Nie wolno mi wymawiać jedynego słowa ważniejszego od jedenastu minut – miłość.

Przez całe życie uważałam miłość za coś w rodzaju przyzwolonego niewolnictwa. To kłamstwo: nie istnieje miłość bez wolności i na odwrót. Tylko ten, kto czuje się wolny, kocha bezgranicznie. A ten, kto kocha bezgranicznie, czuje się wolny.

Dlatego wszystko, co teraz mogę przeżywać, robić, odkrywać, nie ma sensu. Mam nadzieję, że ten czas szybko minie i będę mogła na nowo podjąć poszukiwanie samej siebie, że spotkam mężczyznę, który mnie zrozumie, przez którego nie będę cierpieć.

Ale cóż ja wypisuję za głupstwa? W miłości nie można się wzajemnie ranić, bo przecież każdy odpowiada za własne uczucia i nie ma prawa potępiać drugiego.

Czułam się zraniona, gdy traciłam mężczyzn, których kochałam. Dziś jestem przekonana, że nikt nikogo nie traci, bo nikt nikogo nie może mieć na własność.

I to jest prawdziwe przesłanie wolności: mieć najważniejszą rzecz na świecie, ale jej nie posiadać.

Minęły trzy kolejne miesiące, nadeszła jesień. Od powrotu do Brazylii dzieliło Marię już tylko dziewięćdziesiąt dni. „Wszystko mija tak szybko, a zarazem tak powoli" – pomyślała, dochodząc do wniosku, że czas płynie inaczej zależnie od stanu jej ducha. Ale niezależnie od tego, jak płynie, wielka przygoda dobiegała końca. Oczywiście Maria mogła ciągnąć to dalej. Nie zapominała jednak o zasmuconym uśmiechu niewidzialnej kobiety, która towarzyszyła jej podczas spaceru wokół jeziora, ostrzegając, że sprawy nie są takie proste, jak to się mogło wydawać. Choć kusiło ją, by dalej robić to, co robiła, i przygotowana była na walkę z przeciwnościami, długie miesiące samotności sprawiły, że pojęła – oto zbliża się moment, kiedy trzeba będzie z tym skończyć. Za dziewięćdziesiąt dni powróci na brazylijską prowincję, kupi małą farmę (zarobiła więcej, niż się spodziewała), kilka krów (brazylijskich, nie szwajcarskich), weźmie rodziców pod swój dach, zatrudni dwóch pracowników i będzie prowadzić własny interes.

Uważała, że miłość jest doświadczaniem prawdziwej wolności i nikt nie może posiadać na własność drugiego człowieka. Mimo to w skrytości ducha obmyślała zemstę. Gdy tylko zadomowi się jako tako na swojej farmie, uda się do miasta, do banku, gdzie pracował ów chłopak, który zdradził ją z jej najlepszą przyjaciółką, i wpłaci tam swoje oszczędności. „Cześć, co słychać, nie poznajesz mnie?" – zapyta ją. Maria uda, że z wielkim trudem usiłuje go sobie przypomnieć, i w końcu odpowie, że niestety, nie pamięta. Spędziła cały ostatni rok w Eu-ro-pie (wymówi to słowo bardzo wolno, aby wszyscy jego koledzy mogli usłyszeć), a dokładnie w Szwaj-ca-rii (to zabrzmi jeszcze egzotyczniej niż chciażby Francja), gdzie mają swoje siedziby najlepsze banki na świecie... Kim jesteś?

Kiedy on zacznie wspominać szkolne lata, ona powie: „Aha, to ty" z miną osoby, która nic nie pamięta.

No dobrze, gdy zaspokoi już żądzę zemsty, będzie musiała zakasać rękawy i zabrać się ostro do pracy, a gdy interes zacznie się kręcić, poświęci się temu, co było dla niej najważniejsze: znalezieniu wielkiej miłości, mężczyzny, który przez te wszystkie lata czekał właśnie na nią.

Pożegnała się z myślą o napisaniu książki zatytułowanej *Jedenaście minut*. Teraz musi skupić się na farmie, na swojej przyszłości, bo inaczej nigdy nie wróci do Brazylii.

Po południu spotkała się ze swą najlepszą – i jedyną – przyjaciółką, bibliotekarką. Powiedziała, że interesuje ją hodowla oraz uprawa ziemi, i poprosiła o książki na ten temat.

– Wie pani – wyznała bibliotekarka – kiedy kilka miesięcy temu przyszła pani po książki o seksie, niepokoiłam się o panią. W końcu wiele ładnych, młodych dziewcząt ulega czarowi łatwych pieniędzy. Zapominają, że pewnego dnia zestarzeją się i nie będą już miały okazji spotkać mężczyzny swojego życia.

– Mówi pani o prostytucji?

– To mocne słowo.

– Jak pewnie pani wspominałam, pracuję w firmie importującej mięso. Zresztą gdybym nawet postanowiła zostać prostytutką, umiałabym z tym w porę skończyć. Przecież w młodości często popełnia się błędy.

– Wszyscy narkomani tak mówią: wystarczy w porę się zatrzymać. Ale jakoś niewielu się zatrzymuje.

– Była pani bez wątpienia bardzo piękną kobietą. Urodziła się pani w kraju, w którym żyje się bezpiecznie i dostatnio. Czy to wystarcza do szczęścia?

– Jestem dumna, że udało mi się pokonać przeszkody i ominąć pułapki.

Czy powinna opowiedzieć Marii swoją historię?

Chyba tak, bo ta młoda dziewczyna musi dowiedzieć się czegoś o życiu.

– Miałam szczęśliwe dzieciństwo, skończyłam jedną z najlepszych berneńskich szkół. Znalazłam pracę w Genewie. Spotkałam mężczyznę, którego pokochałam, i pobraliśmy się wkrótce potem. Robiłam dla niego wszystko, on też robił wszystko dla mnie. Minęły lata i nadeszła emerytura. Mąż, gdy wreszcie mógł poświęcić się temu, na co miał od dawna ochotę, posmutniał – może dlatego, że przez całe życie wcale nie myślał o sobie? Nigdy nie kłóciliśmy się poważnie, nigdy nie było między nami większych napięć, nigdy mnie nie zdradził i nigdy nie omieszkał okazywać mi szacunku przy innych. Nasze życie było normalne, tak normalne, że bez pracy poczuł się niepotrzebny, stracił sens życia i zmarł na raka rok później.

Mówiła prawdę, ale obawiała się, że jej słowa mogą mieć zły wpływ na tę młodą dziewczynę.

– Tak czy inaczej lepsze jest życie bez niespodzianek – zakończyła. – Może mój mąż umarłby szybciej, gdyby nasze życie potoczyło się inaczej?

Maria wyszła z biblioteki z książkami pod pachą, zdecydowana pogłębić swoją wiedzę na temat rolnictwa. Miała wolne popołudnie, wybrała się więc na spacer. Na starym mieście zobaczyła żółtą tabliczkę z rysunkiem słońca i napisem: „Droga Świętego Jakuba". Cóż to takiego? Maria nauczyła się już pytać o to, czego nie wiedziała. Niewiele myśląc, weszła do baru naprzeciwko, by zasięgnąć języka.

– Nie mam bladego pojęcia – odpowiedziała jej dziewczyna za barem.

Był to ekskluzywny lokal i wszystko tu było trzykrotnie droższe niż gdzie indziej. Ale Maria miała pieniądze, zamówiła więc espresso i postanowiła następne godziny poświęcić na zarządzanie farmą. Ochoczo otworzyła pierwszą książkę, nie mogła się jednak skupić na lekturze – książka okazała się niebywale nudna. O wiele bardziej interesujące byłoby porozmawiać na ten temat z którymś z klientów – oni wiedzieli, jak należy gospodarować pieniędzmi. Zapłaciła za kawę, wstała, podziękowała kelnerce, zostawiła suty napiwek (miała taki przesąd: jeżeli sama da dużo, dostanie dużo od klienta), skierowała się ku wyjściu i nie zdając sobie sprawy z doniosłości tej chwili, usłyszała słowo, które na zawsze miało odmienić jej plany na przyszłość, jej wyobrażenie o szczęściu, jej kobiecą duszę, jej męskie podejście do życia, jej sposób widzenia świata.

– Chwileczkę.

Odwróciła się zaskoczona. Był to porządny bar, nie „Copacabana", gdzie mężczyźni mieli prawo mówić do kobiety „chwileczkę".

Już miała zamiar zignorować tę „chwileczkę", lecz ciekawość była silniejsza. Maria spojrzała w kierunku, skąd dochodził głos. Ujrzała osobliwą scenę: jakiś długowłosy, może trzydziestoletni mężczyzna (raczej powinna powiedzieć „chłopak", jej świat przedwcześnie się postarzał), klęcząc na ziemi pośród rozrzuconych wokół pędzli, szkicował portret człowieka ze szklaneczką anyżówki. Nie zauważyła ich, wchodząc tutaj.

– Nie odchodź. Za chwilę kończę, a potem chciałbym namalować także ciebie.

– Nie jestem zainteresowana.

– Masz w sobie światło. Pozwól mi przynajmniej zrobić szkic.

Co to jest szkic? O jakie „światło" mu chodzi? Jednak próżność zaczęła brać górę. A jeżeli to jakiś znany malarz? Zostanie uwieczniona po wsze czasy na płótnie wystawianym w Paryżu lub w Salvador de Bahía! Stanie się legendą!

Z drugiej strony co robił ten człowiek z całym tym bałaganem w tak snobistycznym barze?

Jakby czytając Marii w myślach, kelnerka szepnęła jej do ucha:

– To bardzo znany artysta. Przychodzi tu od czasu do czasu i zawsze przyprowadza jakąś znaną osobistość. Twierdzi, że podoba mu się tutejsza atmosfera, że czerpie z niej natchnienie. Podobno na zamówienie miasta maluje obraz, na którym ma uwiecznić genewskie znakomitości.

Maria spojrzała na mężczyznę, którego malował. Kelnerka znowu odgadła jej myśli.

– A to chemik, który dokonał jakiegoś rewolucyjnego odkrycia i dostał za to Nagrodę Nobla.

– Nie odchodź – powtórzył malarz. – Kończę za pięć minut. Zamów sobie, co chcesz, na mój rachunek.

Jak zahipnotyzowana usiadła przy barze, zamówiła anyżówkę (ponieważ zazwyczaj nie piła alkoholu, jedyne co jej przyszło do głowy, to pójść za przykładem noblisty) i zaczęła się przyglądać malarzowi. „Jestem w Genewie nikim, musiało go więc zaintrygować coś innego. Ale on nie jest w moim typie" – pomyślała mimo woli, powtarzając to, co mówiła sobie zawsze, odkąd pracowała w „Copacabanie". Było to jej koło ratunkowe, świadoma rezygnacja z sercowych pułapek. Ale przecież mogła chwilę zaczekać. Nic ją to nie kosztowało. Może ten mężczyzna otworzy przed nią drzwi do nieznanego świata, o którym zawsze marzyła. Czyż nie myślała o karierze modelki?

Przyglądała się, jak zręcznie i szybko kończył swoją pracę. Może oto staje przed nową szansą? Malarz nie wyglądał na takiego, który składa tego rodzaju propozycje tylko po to, by spędzić z nią noc. Pięć minut później, tak jak obiecał, odłożył pędzle.

– Dziękuję, może się pan już poruszyć – rzekł do zdającego budzić się ze snu chemika. Następnie bez ceregieli zwrócił się do Marii: – Usiądź tu w rogu i rozgość się. Światło jest idealne.

Maria wzięła swą szklaneczkę anyżówki, torebkę, książki i podeszła do wskazanego stolika przy oknie, jakby to była najnaturalniejsza rzecz pod słońcem, jakby znała tego człowieka od zawsze. Przyniósł pędzle, płótno, mnóstwo słoiczków wypełnionych różnobarwnymi farbami, paczkę papierosów i ukląkł przy niej.

– Spróbuj się teraz nie ruszać – powiedział.

– Zbyt wiele pan ode mnie wymaga, moje życie to ciągły ruch.

Ta riposta wydała jej się bardzo błyskotliwa, ale on puścił ją mimo uszu. Siląc się na naturalność, choć spojrzenie mężczyzny było krępujące, Maria wskazała przez okno tabliczkę po przeciwległej stronie ulicy:

– Co to jest Droga Świętego Jakuba?

– Szlak pielgrzymki. W średniowieczu pątnicy z całej Europy szli tędy, by dojść do miasta Santiago de Compostela w Hiszpanii.

Rozwinął część płótna i przygotował pędzle. Maria wciąż nie wiedziała, co ze sobą począć.

– Więc jeżeli poszłabym tą uliczką prosto przed siebie, to dotarłabym do Hiszpanii?

– Po dwóch czy trzech miesiącach. Czy mogę cię o coś prosić? Nic nie mów, to nie potrwa dłużej niż dziesięć minut. Zdejmę te rzeczy ze stolika.

– To są książki – powiedziała lekko zirytowana jego władczym tonem. Niech wie, że ma do czynienia z wykształconą kobietą, która chodzi raczej do bibliotek niż po sklepach. Ale on jej torbę z książkami bezceremonialnie postawił na ziemi.

Nie wywarła na nim dobrego wrażenia. Zresztą nie miała najmniejszego zamiaru wywierać na nim jakiegokolwiek wrażenia. Przyszła tutaj w czasie wolnym od pracy, a swój powab wolała zachować dla mężczyzn, którzy szczodrze wynagradzali jej trud. Po co wiązać z tym malarzem jakieś nadzieje? Może nawet nie stać go, by postawić jej kawę? Trzydziestoletni facet nie powinien nosić długich włosów, to śmieszne. Ale skąd wiadomo, że on nie ma pieniędzy? Kelnerka powiedziała, że jest znany. A może mówiła tylko o tym chemiku?

Przyjrzała się ubraniu malarza, ale niewiele to dało: życie nauczyło ją, że mężczyźni ubrani w sposób niedbały – jak on – mogli być bogatsi od tych w garniturach i pod krawatem.

„Czemu o nim myślę? Interesuje mnie tylko obraz". Dziesięć minut to niewiele, by zostać uwiecznioną na płótnie. Kątem oka spostrzegła, że umieścił jej postać obok noblisty w dziedzinie chemii, i głowiła się, czy będzie żądał od niej jakiejś zapłaty.

– Obróć twarz do okna.

Bez dyskusji wykonała jego polecenie, choć wcale nie było to w jej zwyczaju. Patrzyła na przechodniów, na tabliczkę z nazwą Drogi Świętego Jakuba, myśląc, że droga ta istnieje tutaj od wieków, że przetrwała wszelkie zmiany, jakie niesie ze sobą postęp, przeobrażenia człowieka i przemiany świata. Może była to dobra wróżba? Może i ten obraz przetrwa i kiedyś znajdzie się w muzeum?

Malarz zaczął ją rysować i w miarę jak praca postępowała, Maria czuła się coraz bardziej nijaka, traciła entuzjazm. Wchodząc do tego baru, była kobietą pewną siebie, zdolną do podjęcia trudnej decyzji – porzucenia zawodu, który przynosił jej znaczne dochody – by stawić czoło trudniejszemu wyzwaniu: założyć własną farmę w ojczystym kraju. A teraz traciła pewność siebie, na co żadna prostytutka nie może sobie pozwolić.

Wreszcie odkryła przyczynę tej niepewności: po raz pierwszy od wielu miesięcy ktoś patrzył na nią nie jak na przedmiot, nie jak na piękną kobietę, lecz w sposób nieuchwytny, jakby przenikał na wskroś jej duszę, jej strach, jej kruchość, jej niezdolność do walki ze światem, nad którym pozornie dominowała, choć tak naprawdę niczego o nim nie wiedziała.

To śmieszne, znowu zaczynała sobie roić w głowie Bóg wie co.

– Chciałabym...

– Proszę, nic nie mów – przerwał jej malarz. – Widzę twoje światło.

Jeszcze nikt nigdy czegoś takiego jej nie powiedział. „Widzę twoje jędrne piersi", „widzę twoje kształtne biodra", „widzę tę egzotyczną urodę tropików" albo co najwyżej „widzę, że chcesz się wyrwać z tego piekła, daj mi szansę, a pomogę ci, kupię ci piękny apartament i nie będziesz już musiała o nic się martwić". Zwykle to słyszała, ale... jej światło?

– Twoje wewnętrzne światło – dodał, kiedy zdał sobie sprawę, że Maria nie rozumie.

Wewnętrzne światło. No nie, nikt nie mógł być bardziej oderwany od rzeczywistości niż ten naiwny malarz, który pomimo trzydziestki na karku wcale nie znał życia. Powszechnie wiadomo, że kobiety dojrzewają szybciej niż mężczyźni, a Maria – choć nie spędzała bezsennych nocy na filozoficznych rozważaniach – wiedziała przynajmniej jedno: nie miała w sobie tego, co malarz nazywał „światłem", a co ona na własny użytek określała jako „blask". Była taka jak wszyscy, znosiła samotność bez słowa skargi, starała się znaleźć uzasadnienie dla swoich poczynań, przywdziewała maskę silnej, gdy była słaba, udawała słabość, gdy czuła się silna. Wyrzekła się wszelkich namiętności w imię ryzykownej pracy, a teraz była już blisko celu, miała plany na przyszłość i wyrzuty sumienia z powodu przeszłości – nie mogła nosić w sobie ani trochę „blasku". Pewnie ten malarz mamił ją opowieściami o wewnętrznym świetle, żeby, jak idiotka, siedziała nieruchomo bez słowa.

Wewnętrzne światło. Też coś! Mógł wymyślić coś bardziej oryginalnego. Na przykład, że ma ładny profil.

Jakim sposobem światło dociera do wnętrza domu? Poprzez okna otwarte na oścież. A jak dociera do ludzkiej duszy? Przez wrota miłości, o ile są otwarte. A jej wrota z całą pewnością były zatrzaśnięte na amen. To musiał być bardzo marny malarz, skoro tego nie wyczuł.

– Już skończyłem! – oznajmił zadowolony.

Maria nawet nie drgnęła. Chciała obejrzeć obraz, ale obawiała się, że nie wypada. Ciekawość wzięła jednak górę. Poprosiła, a on chętnie się zgodził.

Był to tylko szkic jej twarzy, ale odnalazła w nim jakiś cień podobieństwa. Gdyby zobaczyła ten obraz nie znając modela, powiedziałaby, że jest to osoba silniejsza od niej, pełna „światła", którego nie dostrzegała na co dzień w lustrze.

— Nazywam się Ralf Hart. Jeśli nie masz nic przeciw temu, postawię ci drinka.

— Nie, dziękuję.

Wszystko wskazywało na to, że spotkanie stawało się żałośnie przewidywalne – mężczyzna próbował uwieść kobietę.

— Jeszcze dwie anyżówki – zamówił, nie zważając na jej protesty.

Cóż lepszego miała do roboty? Czytać nudne rozprawy o gospodarce rolnej? Przechadzać się samotnie nad jeziorem, jak to robiła już setki razy? A może jednak porozmawiać z tym młodym mężczyzną, bo on dojrzał w niej światło w dniu, który miał być początkiem końca jej „życiowego eksperymentu".

— Czym się zajmujesz?

Oto pytanie, którego najbardziej się obawiała, pytanie, które prowadziło na manowce zawsze, ilekroć ktoś je zadawał (co zdarzało się nader rzadko, bo Szwajcarzy z natury są powściągliwi). Co miała powiedzieć?

— Pracuję w nocnym lokalu.

I już. Ogromny ciężar spadł jej z serca. Poczuła wdzięczność za to, czego nauczyła ją Szwajcaria: stawiać pytania (Skąd się tutaj wzięli Kurdowie? Co to jest Droga Świętego Jakuba?) i odpowiadać (Pracuję w nocnym lokalu), gwiżdżąc sobie na to, co sobie o niej pomyślą.

— Wydaje mi się, że już cię gdzieś widziałem.

Maria wyczuła, że nieznajomy chce posunąć się dalej, i ucieszyła się swoim małym zwycięstwem: malarz,

który jeszcze przed chwilą wydawał jej polecenia i sprawiał wrażenie kogoś, kto wie dokładnie, czego chce,
stał się na powrót mężczyzną takim jak inni, onieśmie-
lonym w obliczu nieznajomej kobiety.

– A te książki?

Podała mu je. Rolnictwo. Zarządzanie. Jego pewność siebie słabła z każdą minutą.

– Robisz w seksie?

Zaryzykował. Czy dlatego, że ubierała się zbyt prowokacyjnie? Gra zaczynała być interesująca, a Maria
nie miała już nic do stracenia.

– Dlaczego mężczyźni nie potrafią myśleć o niczym
innym?

Odłożył książki na stolik.

– Ciekawe: seks i zarządzanie w rolnictwie. Dwie
bardzo nudne dziedziny.

Co? Poczuła się głęboko urażona. Jak śmiał tak po-
gardliwie mówić o jej profesji? No dobrze, tak naprawdę nie mógł wiedzieć, na czym polega jej praca, zapewne myślał jakimiś stereotypami. Nie mogła pozostawić
tego bez komentarza.

– A mnie się wydaje, że nie ma nic nudniejszego
od malarstwa: zastygły przedmiot, zatrzymany ruch,
fotografia, która nigdy nie jest wierna oryginałowi.
Martwa dyscyplina, którą nikt już się nie interesuje poza malarzami i ludźmi z branży. Wydaje im się, że są
lepsi i bardziej wykształceni od reszty świata. Słyszałeś
o Joanie Miró? Bo ja dowiedziałam się o nim dopiero
parę tygodni temu i absolutnie niczego nie zmieniło to
w moim życiu.

Chyba trochę się zagalopowała. Na szczęście przy-
niesiono zamówione drinki i rozmowa została przerwa-
na. Milczeli przez chwilę. Maria poczuła, że czas już
iść, a może i Ralf Hart pomyślał o tym samym. Ale
na stoliku stały dwie pełne szklanki anyżówki – dobry
pretekst, by zostać razem.

– Po co ci ta książka o rolnictwie?

– A czemu pytasz?

– Przypominam sobie, że cię widziałem na ulicy Berneńskiej w jakimś ekskluzywnym lokalu. Ale gdy cię rysowałem, nie zdawałem sobie z tego sprawy, światło było za mocne.

Maria poczuła, że grunt usuwa się jej spod nóg. Po raz pierwszy zawstydziła się swojej profesji, choć nie było po temu powodu. Przecież pracowała, by zapewnić byt sobie i najbliższej rodzinie. To on powinien się wstydzić, że bywał na ulicy Berneńskiej. W jednej chwili cały czar prysł.

– Proszę posłuchać, panie Hart. Jestem Brazylijką. Mieszkam w Szwajcarii od dziewięciu miesięcy i nauczyłam się, że Szwajcarzy są dyskretni, bo żyją w maleńkim kraju, gdzie wszyscy albo prawie wszyscy się znają, jak właśnie mieliśmy okazję się przekonać. Dlatego nikt tu nie zadaje intymnych pytań. Pańska uwaga jest niedelikatna i nie na miejscu, ale jeżeli ma pan zamiar mnie poniżyć, żeby poczuć się lepiej, traci pan czas. Dziękuję za anyżówkę. Jest wprawdzie ohydna, ale wypiję ją do końca. Potem wypalę papierosa, a następnie wstanę i pójdę sobie. Ale pan może wyjść od razu, gdyż nie uchodzi, by znany malarz dosiadał się do stolika prostytutki. Bo nią właśnie jestem, wie pan? Prostytutką. Mówię to bez cienia wstydu. I to moja zaleta: nie oszukuję ani siebie, ani pana. Bo nie warto, nie zasługuje pan na kłamstwa. Proszę sobie wyobrazić, co by było, gdyby ten sławny chemik siedzący tam w kącie dowiedział się, kim jestem? Prostytutką! – podniosła głos. – I wie pan co? Jestem wolna, bo wiem, że opuszczę ten cholerny kraj dokładnie za dziewięćdziesiąt dni, z pełną kiesą, o wiele mądrzejsza niż w dniu przyjazdu, a tak naprawdę to bardziej świadoma ludzkiej natury!

Kelnerka przysłuchiwała się jej wystraszona. Chemik zdawał się nie zwracać na nią uwagi. Może sprawił to alkohol, może pewność, że wkrótce na powrót stanie się Brazylijką z Nordeste, ale odczuła ulgę, że wreszcie może mówić swobodnie o swojej profesji i kpić sobie ze zgorszonych spojrzeń i świętego oburzenia porządnych obywateli.

– Czy pan dobrze zrozumiał, panie Hart? Jestem prostytutką i to moja zaleta, moja cnota! Nie odezwał się. Nie poruszył. Maria poczuła, że wraca jej pewność siebie.

– Pan natomiast jest malarzem, który nie ma pojęcia o swoich modelach. Może się okazać, że siedzący tam, na wpół śpiący chemik tak naprawdę jest kolejarzem. A pozostałe postacie z pańskiego obrazu nie zawsze są tymi, na kogo wyglądają. Inaczej nigdy by pan się nie upierał, że dostrzega pan „wewnętrzne światło" u kobiety, która jest tylko pros-ty-tut-ką!

Ostatnie słowo wypowiedziała bardzo wolno i dobitnie. Chemik otrząsnął się z drzemki, a kelnerka przyniosła rachunek. Ralf nie zwrócił na nią uwagi i odpowiedział Marii stanowczo, choć ściszonym głosem:

– To nie ma nic wspólnego z profesją, jaką uprawiasz, tylko z kobietą, jaką jesteś. Jest w tobie światło, niezłomność człowieka, który potrafi poświęcić sprawy ważne dla spraw najważniejszych. To światło bije z twoich oczu.

Rozbroił tym Marię. Mimo to postanowiła twardo wierzyć w to, że malarz chce ją tylko uwieść, i zabroniła sobie myśleć – przynajmniej przez następne dziewięćdziesiąt dni – że istnieją na tym świecie mężczyźni godni uwagi.

– Widzisz tę anyżówkę przed sobą? – ciągnął. – Ty pewnie widzisz tylko zwykłą anyżówkę. Ja natomiast muszę widzieć więcej. Widzę roślinę, która nadaje jej charakterystyczny aromat, ręce, które zebrały jej ziarna, przeprawę statkiem na drugi kontynent, smak, zapach i barwę, jakie miała, zanim zetknęła się z alkoholem. Gdybym pewnego dnia malował tę scenę, próbowałbym zawrzeć w niej to wszystko – choć widząc mój obraz sądziłabyś, że masz przed sobą banalną szklaneczkę anyżówki. Gdy ty patrzyłaś na ulicę i myślałaś o Drodze Świętego Jakuba – bo wiem, że o tym myślałaś – malowałem twoje dzieciństwo, twoją młodość, twoje marzenia, które spełzły na niczym, twoje plany na przyszłość, twą niezłomność – to właśnie najbardziej mnie intryguje. Gdy zobaczyłaś swój portret...

Maria opuściła tarczę, choć wiedziała, że będzie jej bardzo trudno skryć się za nią ponownie.

– Zobaczyłam to światło...

– ...choć była tam tylko kobieta, która jest do ciebie odrobinę podobna.

Znów zapadło kłopotliwe milczenie. Maria spojrzała na zegarek.

– Muszę już iść. Dlaczego mówisz, że seks jest nudny?

– Na pewno wiesz to lepiej ode mnie.

– To prawda. Każdy dzień jest taki sam. Ale ty jesteś trzydziestoletnim mężczyzną...

– Mam dwadzieścia dziewięć lat.

– ...młodym, pociągającym, sławnym. Nie musisz chodzić na ulicę Berneńską w poszukiwaniu towarzystwa.

– Potrzebowałem tego. Spałem z kilkoma twoimi koleżankami, ale nie dlatego, że trudno mi było znaleźć kobietę. Mam pewien problem.

– Problem fizyczny?

– Nie. Tylko seks mi zobojętniał.

Coś podobnego!

– Zapłać rachunek i przejdźmy się trochę. Myślę, że tak naprawdę wielu ludzi czuje to samo, tyle że nikt się do tego nie przyznaje. Miło porozmawiać z kimś tak szczerym jak ty.

Ruszyli Drogą Świętego Jakuba, która prowadziła ku rzece wpadającej do jeziora, potem wiodła przez góry i kończyła się gdzieś w odległej Hiszpanii. Mijali przechodniów, którzy wracali z obiadu, matki z wózkami, turystów fotografujących fontannę tryskającą ze środka jeziora, muzułmanki zasłonięte chustami, młodych ludzi uprawiających jogging, pielgrzymów, którzy podążają w stronę mitycznego, być może nigdy nieistniejącego miasta, Santiago de Compostela, miasta-legendy. Legendy, w którą ludzie potrzebują wierzyć, by swemu życiu nadać jakiś sens. Tą drogą uczęszczaną od dawien dawna teraz szedł długowłosy mężczyzna obładowany ciężką torbą pełną pędzli, słoików z farbami, płócien, ołówków i trochę młodsza od niego dziewczyna z książkami o rolnictwie pod pachą. Żadnemu z nich nie przyszło do głowy zastanawiać się, dlaczego pielgrzymują razem. Była to najnaturalniejsza rzecz pod słońcem – on wiedział o niej wszystko, choć ona nie wiedziała o nim niczego.

Dlatego postanowiła pytać – przecież nauczyła się pytać bez skrępowania. Z początku zasłaniał się nieśmiałością, ale ona umiała tę męską nieśmiałość przełamać. W końcu wyznał jej, że był dwukrotnie żonaty, wiele podróżował, obracał się w kręgach koronowanych głów i sławnych aktorów, bywał na wielkich przyjęciach. Urodził się w Genewie, jakiś czas mieszkał w Madrycie, Amsterdamie, Nowym Jorku i w Tarbes, niewielkim mieście na południu Francji z dala od ważnych szlaków turystycznych. Uwielbiał to miasteczko zagubione w górach, bo tamtejsi ludzie byli bardzo otwarci i serdeczni. Jego talent artystyczny został odkryty bardzo wcześnie. Pewien znany marszand zatrzymał się przypadkowo w japońskiej restauracji w Genewie i zachwycił wystrojem zaprojektowanym przez Ralfa. Ten uśmiech losu pozwolił początkującemu artyście szybko dorobić się fortuny. Był młody i pełen energii, cały świat stanął przed nim otworem, poznał wszystkie przyjemności, o których może marzyć mężczyzna. Lubił swój zawód, ale pomimo sławy, pieniędzy, kobiet i egzotycznych podróży czuł się niespełniony. Naprawdę był szczęśliwy tylko wtedy, gdy malował.

– Czy cierpiałeś przez kobiety? – zapytała i od razu uświadomiła sobie, że było to idiotyczne pytanie, jakby żywcem wyjęte z podręcznika *O tym, co kobieta wiedzieć powinna, by zdobyć mężczyznę.*

– Nigdy nie cierpiałem przez kobiety. Byłem bardzo szczęśliwy w każdym z moich związków. Zdradzałem i byłem zdradzany, jak to czasem bywa w małżeństwie, jednak po pewnym czasie seks przestał mnie interesować. Nadal kochałem i tęskniłem za moją partnerką, ale seks... A właściwie to dlaczego mówimy o seksie?

– Bo jak sam wiesz, jestem prostytutką.

– Moje życie nie jest jakoś specjalnie ciekawe. Jestem artystą, który odniósł sukces bardzo wcześnie, co zdarza się rzadko, a w malarstwie niemal nigdy. Mogę dziś malować, co mi się podoba, i za każdy obraz otrzymam dobrą cenę, choć krytycy będą wściekli, bo wydaje im się, że tylko oni znają się na sztuce. Uchodzę za kogoś, kto ma gotową odpowiedź na każde pytanie, a im mniej mówię, tym bardziej ludzie rozpływają się nad moją inteligencją. Każdego tygodnia jestem gdzieś zapraszany. W Barcelonie mam agentkę, która zajmuje się wszystkim, co dotyczy moich finansów, zaproszeń, wystaw, ale nigdy nie nagli mnie do robienia tego, na co nie mam ochoty. Po latach pracy udało nam się osiągnąć wysokie notowania na rynku sztuki. Czy to cię nie nudzi?

– Powiedziałabym, że to niebanalna historia. Wielu ludzi chciałoby być na twoim miejscu.

Ralf pragnął dowiedzieć się czegoś o Marii.

– Są we mnie trzy osoby, w zależności od tego, kto do mnie przychodzi. Jest mała Niewinna Dziewczynka, która patrzy na mężczyznę z podziwem i udaje zachwyconą jego opowieściami o władzy, sławie i bogactwie. Jest Femme Fatale, która z miejsca atakuje nieśmiałych, niepewnych, przejmuje kontrolę nad sytuacją, dzięki czemu w jej towarzystwie znajdują relaks i nie muszą się już niczym niepokoić. Jest wreszcie Wyrozumiała Matka. Ona dopieszcza mężczyzn potrzebujących rad. Cierpliwie wysłuchuje ich zwierzeń, chociaż wpadają jej jednym uchem, a wypadają drugim. Którą z nich chcesz poznać?

– Ciebie.

Po raz pierwszy od przyjazdu z Brazylii Maria otworzyła się przed mężczyzną. Potrzebowała tego. W miarę jak opowiadała mu o sobie, zrozumiała, że choć uprawiała niezbyt konwencjonalny zawód, oprócz tygodnia spędzonego w Rio i pierwszego miesiąca w Szwajcarii jej życie było bardzo monotonne. Dom, praca, dom, praca – i nic poza tym.

Gdy skończyła, znów siedzieli w barze – tym razem na drugim krańcu miasta, daleko od Drogi Świętego Jakuba.

– Cóż więcej mogę ci powiedzieć? – zapytała.

– Na przykład do widzenia.

Tak. To popołudnie nie było takie jak inne. Maria była poruszona. Czuła się niezręcznie, otworzyła bowiem drzwi swojej duszy i teraz nie wiedziała, jak je zamknąć.

– Kiedy będę mogła zobaczyć obraz?

Ralf podał jej wizytówkę swej agentki w Barcelonie.

– Zadzwoń do niej za sześć miesięcy, jeżeli będziesz jeszcze w Europie. Portrety genewczyków sławnych i nikomu nieznanych będą najpierw wystawione w Berlinie, a potem objadą całą Europę.

Maria przypomniała sobie o kalendarzu, o dziewięćdziesięciu dniach, które dzieliły ją od powrotu do Brazylii, o zagrożeniu, jakie niosła jakakolwiek znajomość, jakakolwiek więź.

„Co jest w życiu ważniejsze? – pomyślała. – Żyć pełnią czy udawać, że się żyje? Czy powinnam zdobyć się na odwagę i powiedzieć, że to popołudnie, kiedy ktoś mnie zechciał wysłuchać bez krytyki i złośliwości, jest najpiękniejszym popołudniem, jakie tu przeżyłam? Czy raczej skryć się za pancerzem niezłomnej, obdarzonej „światłem" kobiety i odejść bez słowa?".

Kiedy szli Drogą Świętego Jakuba, kiedy opowiadała o swym życiu, była szczęśliwa. Mogła się tym zadowolić – dostała już piękny prezent od życia.

– Wpadnę cię odwiedzić – powiedział Ralf Hart.

– Nie rób tego! Niedługo wracam do Brazylii. Nie mamy sobie już nic więcej do powiedzenia.

– Przyjdę do ciebie jako klient.

– Upokorzyłbyś mnie.

– Przyjdę więc, byś mnie ocaliła.

Wyznał jej, że stracił zainteresowanie seksem. Chciała powiedzieć, że odczuwa to samo, lecz ugryzła się w język – posunęła się już za daleko w swych zwierzeniach, mądrzej będzie zachować milczenie.

To było takie żałosne! Znów stał naprzeciw niej mały chłopiec – tylko ten nie prosił o ołówek, lecz potrzebował bliskości. Tamtemu chłopcu zabrakło pewności siebie, zrezygnował po pierwszej nieudanej próbie. A ona nie umiała temu zaradzić. Byli dziećmi, a dzieciom to się przytrafia – żadne z nich nie popełniło błędu. Ta myśl niosła wielką ulgę. Maria poczuła się lepiej. Wcale nie zaprzepaściła wtedy pierwszej w swym życiu okazji. To przydarza się wszystkim, w ten sposób każdy z nas rozpoczyna poszukiwania swojej drugiej połowy.

Lecz teraz wyglądało to inaczej. Choć miała zrozumiałe powody, by się wycofać (wraca do Brazylii, jest prostytutką, nie mieli czasu się poznać, seks jej nie interesuje, nie chce nic wiedzieć o miłości, musi nauczyć się zarządzania farmą, nie zna się na malarstwie, pochodzą z dwóch różnych światów), poczuła, że życie rzuca jej wyzwanie. Nie była już dzieckiem i musiała wybierać.

Nie odezwała się ani słowem. W milczeniu uścisnęła mu rękę, zgodnie z tutejszym zwyczajem, i wróciła do domu. Jeżeli naprawdę jest takim mężczyzną, jakiego pragnęła, jej milczenie nie powinno go odstraszyć.

Fragment pamiętnika Marii napisany jeszcze tego samego dnia:

Dziś, gdy szliśmy brzegiem jeziora, mężczyzna, który mi towarzyszył – malarz żyjący na antypodach mojego świata – wrzucił do wody mały kamyk. Tam gdzie wpadł kamyk, na wodzie pojawiły się kręgi, które dotarły do przepływającej obok kaczki. Nie spłoszyła się, tylko zakołysała radośnie na tej nieoczekiwanej fali.

Parę godzin wcześniej weszłam do kawiarni, usłyszałam czyjś głos i to było tak, jakby Bóg wrzucił tam kamyk. Fale energii dotarły do mnie i do mężczyzny, który malował w kącie jakiś portret. On wyczuł wibracje i ja je wyczułam. Co dalej?

Malarz wie, kiedy znajduje odpowiedni model. Muzyk wie, kiedy jego instrument jest nastrojony. A ja mam świadomość, że pewnych zdań w tym pamiętniku nie napisałam ja, lecz kobieta pełna „światła", którą jestem, ale której nie godzę się w sobie uznać.

Mogę przy tym twardo obstawać. Ale mogę również, jak ta kaczka, zabawić się i cieszyć falą, która nagle pomarszczyła taflę jeziora.

Ten kamień ma swoją nazwę: namiętność. Może to piękno spotkania dwojga ludzi, miłość od pierwszego wejrzenia, ale nie tylko – także emocje, jakie wzbudza to, co nieoczekiwane, robienie czegoś z entuzjazmem, wiara, że uda się spełnić marzenia. Namiętność wysyła sygnały, jak mam pokierować swoim życiem, i muszę nauczyć się te sygnały rozszyfrowywać.

Wolałabym wierzyć, że jestem zakochana w kimś, kogo nie znam i kogo nie uwzględniałam w moich planach. W ciągu ostatnich miesięcy za wszelką cenę usiłowałam panować nad sobą, wzbraniałam się przed miłością. Odniosło to przeciwny skutek: podbił moje serce pierwszy mężczyzna, który spojrzał na mnie inaczej.

Na szczęście nie poprosiłam go o numer telefonu, nie wiem, gdzie mieszka, mogę go stracić, nie czując się winna, że przepuściłam okazję.

A nawet jeśli tak jest, jeśli już go straciłam, zyskałam jeden dzień szczęścia. Świat jest, jaki jest, i każdy dzień szczęścia graniczy niemal z cudem.

Gdy weszła tego wieczoru do „Copacabany", już na nią czekał. Był jedynym klientem. Milan, który przyglądał się Marii z pewną ciekawością, pomyślał, że dziewczyna przegrała bitwę.

– Napijesz się drinka?

– Muszę pracować. Nie chcę stracić tej posady.

– Jestem klientem. To propozycja zawodowa.

Mężczyzna, który ledwie parę godzin temu wydawał się tak pewny siebie, wprawnie posługiwał się pędzlem, obracał się wśród ważnych osobistości, miał agentkę w Barcelonie i zarabiał fortunę, okazywał teraz swą kruchość. Znalazł się w scenerii, do której nie pasował. To nie była romantyczna kawiarnia przy Drodze Świętego Jakuba. Czar popołudnia prysł.

– No więc zgadzasz się?

– Zgadzam się, ale nie teraz. Dziś mam już umówionych klientów. Czekają na mnie.

Milan dosłyszał koniec zdania: mylił się, ta mała nie wpadła w sidła miłości. Chociaż pod koniec mało ruchliwego wieczoru zdziwił się, dlaczego wybrała towarzystwo starca, podrzędnego księgowego i agenta ubezpieczeniowego...

Zresztą to była jej sprawa. Dopóki płaciła mu prowizję, nie miał zamiaru decydować, z kim ona ma sypiać.

Pamiętnik Marii pisany po wieczorze spędzonym ze starcem, księgowym i agentem ubezpieczeniowym:

Czego ten malarz chce ode mnie? Czy nie widzi, że wszystko nas dzieli: narodowość, kultura, język? Może sądzi, że wiem więcej od niego o rozkoszy, i chce się cze- *goś nauczyć? Czemu powiedział: „Jestem klientem"? Mógł przecież szepnąć mi do ucha: „Tęskniłem za tobą" albo „Spędziliśmy razem cudowne popołudnie". Odpowiedziałabym w ten sam sposób (jestem profesjonalistką). Powinien był zrozumieć mój niepokój i to, że w „Copacabanie" nie jestem sobą. Powinien był pamiętać, że jestem tylko kruchą kobietą, którą łatwo zranić.*

To mężczyzna. I artysta. Musi wiedzieć, że każdy pragnie miłości absolutnej, a takiej miłości nie trzeba szukać w innych, lecz w sobie. Ona drzemie w nas i tylko my możemy ją w sobie rozbudzić. Ale do tego potrzeba nam drugiego człowieka. Życie ma sens tylko wtedy, gdy mamy u swego boku kogoś, kto odwzajemnia nasze uczucia.

Ma dość seksu? Ja też – choć żadne z nas nie wie dlaczego. Pozwalamy, by umarła jedna z najważniejszych sfer naszego życia. Potrzeba mi jego pomocy, jemu potrzeba mojej, ale nie pozostawił mi żadnego wyboru.

Maria bała się. Intuicyjnie czuła, że po latach wyrzeczeń, tłumienia wszelkich emocji, lada chwila nastąpi eksplozja, trzęsienie ziemi w jej świecie – a jeśli to nastąpi, nie zdoła zapanować nad uczuciami. Kimże, u licha, był ten artysta? Kto wie? Może nie był z nią szczery, może wszystko, co mówił, jest stekiem kłamstw? Spędziła z nim zaledwie kilka godzin, nie dotknął jej, nie próbował uwieść – czyż mogło ją spotkać coś gorszego?

112

Dlaczego jej serce biło przy nim na alarm? Dlaczego sądziła, że on czuł to samo? A może myliła się całkowicie? Może po prostu szukał kobiety, która potrafiłaby wskrzesić w nim wygasły ogień? Może Ralf Hart potrzebował bogini seksu, obdarzonej szczególnym „światłem" (w tym przynajmniej był szczery), gotowej wziąć go za rękę i przywołać na powrót do życia. Nie był w stanie pojąć, że Marię mało to obchodzi, że ma własne problemy (nigdy nie miała orgazmu, choć sypiała z wieloma mężczyznami), że snuje plany na przyszłość i przygotowuje triumfalny powrót do ojczyzny.

Dlaczego jej myśli krążyły wokół niego bez ustanku? Dlaczego myślała o kimś, kto może w tej chwili malował już portret innej kobiety, czarując ją bajkami o „wewnętrznym świetle", prosząc, by odegrała przed nim rolę bogini seksu?

„Myślę o nim w kółko, ponieważ udało mi się przed nim otworzyć". Żałosne! Czy myślała o bibliotekarce? Czy myślała o Nyah, Filipince, jedynej spośród wszystkich kobiet „Copacabany", której mogła się czasem zwierzyć? Nie, a przecież były to osoby, w których towarzystwie czuła się dobrze.

By oderwać się od natrętnych myśli, skupiła się na upale, na zakupach, których nie zrobiła wczoraj. Napisała długi list do ojca, pełen szczegółów na temat ziemi, którą miała zamiar kupić. Nie podała wprawdzie dokładnej daty powrotu, ale napomknęła, że to już niedługo. Zasnęła, obudziła się, znów zasnęła i znów się obudziła. Uświadomiła sobie, że książka o rolnictwie, użyteczna dla Szwajcarów, nie ma żadnej wartości dla Brazylijczyków – światy te są zbyt odległe.

Po południu spostrzegła, że huragan szalejący w jej świecie przycichł, a wewnętrzne napięcie opadło. Odetchnęła z ulgą. Po takich nagłych pasjach zazwyczaj nazajutrz nie było śladu. W jej życiu na szczęście nic się nie zmieniło. Miała kochającą rodzinę i mężczyznę z Nordeste, który ostatnimi czasy często do niej pisywał i zapewniał, że na nią czeka. Nawet gdyby jeszcze dziś wsiadła do samolotu, stać ją było na kupno kawałka ziemi w Brazylii. Najgorsze już przeszła: pokonała barierę językową, samotność, przeżyła pierwszą noc za pieniądze, udało jej się nakłonić swą duszę, by nie uskarżała się na to, co robi ciało. Doskonale wiedziała, o czym marzy, i gotowa była zapłacić każdą cenę, by to osiągnąć. Zresztą w tych marzeniach nie było miejsca na mężczyzn. A szczególnie takich, którzy nie mówią w jej ojczystym języku i nie mieszkają w jej rodzinnym mieście.

Gdy wszystko wróciło do równowagi, zrozumiała, że powinna była wyznać wówczas Ralfowi: „Jestem samotna, tak samo przegrana jak ty. Wczoraj dostrzegłeś moje „światło" i powiedziałeś pierwsze piękne i szczere słowa, jakie usłyszałam od mężczyzny, odkąd tu przyjechałam".

W radiu leciała stara piosenka: *Moja miłość zawsze umiera, zanim się zacznie*. I taki był jej los.

Fragment pamiętnika Marii, pisany dwa dni po tym,
jak wszystko powróciło do normy:

Namiętność sprawia, że przestajemy jeść, spać, praco-
wać. Burzy nasz spokój. Obraca wniwecz całą przeszłość.
Nikt nie lubi, kiedy jego świat rozsypuje się na ka-
wałki. Dlatego ludzie zwykle starają się przewidzieć za-
grożenie i go unikać, bo dzięki temu udaje im się pode-
przeć kruchą konstrukcję, która i tak ledwo stoi. To in-
żynierowie minionych spraw.

Są tacy, którzy postępują inaczej: rzucają się na oślep
w wir namiętności, w nadziei że ona rozwiąże wszystkie
problemy. Składają na barki innych całą odpowiedzial-
ność za własne szczęście i całą winę za ewentualne nie-
powodzenia. Są rozdarci między euforią, bo przydarzy-
ło im się coś cudownego, a rozpaczą, bo jakieś niespo-
dziewane zdarzenie wszystko zniszczyło.

Bronić się przed namiętnością, czy ślepo jej ulec? Co
jest mniej niszczycielskie?

Nie wiem.

Na trzeci dzień Ralf Hart zjawił się w „Copacabanie" i o mały włos się nie spóźnił. Maria rozmawiała
już z jakimś klientem, gdy go spostrzegła. Na szczęście
udało jej się delikatnie pozbyć tego towarzystwa.
Dopiero wtedy uświadomiła sobie, że każdego dnia

116 czekała na Ralfa. A gdy zdała sobie z tego sprawę, pogodziła się ze wszystkim, co przyniesie jej los.
Nie skarżyła się. Była zadowolona, mogła sobie
pozwolić na ten luksus, bo niebawem i tak opuści to
miasto. Wiedziała, że ta miłość nie ma racji bytu, a ponieważ przestała się łudzić, mogła dostać to, czego potrzebowała na tym etapie życia.
Ralf zaproponował jej drinka, więc Maria zamówiła
koktajl owocowy. Milan przyglądał się Brazylijce zza
baru, nic nie rozumiejąc. Czemu zmieniła zdanie? Ode-
tchnął z ulgą, gdy zaciągnęła mężczyznę na parkiet.
Wszystko odbywało się zgodnie z rytuałem, nie było powodu do niepokoju.
Maria czuła dłoń Ralfa na swej talii, jego twarz przy-
tuloną do swej twarzy. Bardzo głośna muzyka – dzięki
Bogu – uniemożliwiała jakąkolwiek rozmowę. Teraz to
już tylko kwestia czasu: pójdą do hotelu, będą się kochać. Nic takiego, zawodowa rutyna. Dzięki temu zdusi

w sobie resztki uczucia. Zastanawiała się, dlaczego tak bardzo cierpiała po ich pierwszym spotkaniu.

Tego wieczoru będzie Wyrozumiałą Matką. Ma przed sobą zrozpaczonego mężczyznę, podobnego do tysięcy innych. Jeżeli dobrze odegra swoją rolę, jeżeli uda się jej postąpić zgodnie ze scenariuszem, jaki wypracowała sobie w „Copacabanie", nie ma się czego obawiać. Ale ten mężczyzna niósł wielkie ryzyko, szczególnie teraz, gdy czuła – i lubiła – jego zapach, gdy odkrywała – i lubiła – dotyk jego skóry.

W czterdzieści pięć minut dopełnili rytualnych obrządków i Ralf zwrócił się do właściciela lokalu:
– Płacę za trzech klientów i zabieram ją na całą noc.

Milan wzruszył ramionami i pomyślał, że młoda Brazylijka wpadła jednak w sidła miłości. Natomiast Maria była zaskoczona tym, że Ralf Hart tak dobrze zna tutejsze zasady gry.
– Chodźmy do mnie.

„Może to najlepsza decyzja" – pomyślała i choć było to wbrew wszystkim zaleceniom Milana, postanowiła zrobić wyjątek. Dowie się wreszcie, czy jest żonaty, i zobaczy, jak żyją znani malarze. Może kiedyś napisze na ten temat artykuł w lokalnej gazecie – w ten sposób wszyscy się dowiedzą, że podczas pobytu w Europie obracała się w kręgach intelektualnych i artystycznych.

Cóż za niedorzeczny pretekst!

Pół godziny później dotarli do miasteczka Cologny na przedmieściach Genewy. Kościół, ratusz, piekarnia, wszystko na swoim miejscu. Ralf mieszkał w dwupiętrowej willi. A więc rzeczywiście był zamożny. Maria wysnuła jeszcze jeden wniosek: gdyby był żonaty, nie ośmieliłby się zaprosić jej do siebie z obawy przed plotkami sąsiadów.

A więc był bogaty i wolny.

W przestronnym holu minęli schody prowadzące na piętro i weszli do dwóch połączonych ze sobą pokoi, których okna wychodziły na ogród. Pierwszym była jadalnia zawieszona obrazami. W drugim stała kanapa, kilka foteli i półki uginające się od książek.

– Napijesz się kawy?

Maria pokręciła przecząco głową. „Nie, nie możesz robić mi kawy. Nie możesz traktować mnie inaczej niż klient. Rozgniewam wszystkie moje duchy opiekuńcze, jeżeli złamię złożone sobie obietnice. Ale spokojnie, dzisiaj zagram rolę prostytutki, przyjaciółki albo Wyrozumiałej Matki, choć w głębi duszy jestem spragniona czułości. Dopiero kiedy już będzie po wszystkim, będziesz mógł mi zrobić kawę".

– Tam, w głębi ogrodu jest moja pracownia i cała moja dusza. Tutaj, pośród tych obrazów i książek mieszka mój mózg i tu rodzą się wszystkie nowe pomysły.

Maria pomyślała o mieszkaniu, które wynajmowała. Nie było tam ogrodu. Ani książek, poza tymi, które wypożyczała z biblioteki, bo szkoda jej było wydawać pieniądze na coś, co mogła mieć za darmo. Nie miała też żadnych obrazów poza plakatem cyrku akrobatów z Szanghaju – marzyła, żeby zobaczyć kiedyś ich występ na żywo.

Ralf zaproponował jej whisky.

– Nie, dziękuję.

Nalał sobie i opróżnił szklankę jednym haustem. Zaczął mówić z zapałem i choć to, co mówił, było interesujące, wiedziała, że on zagaduje lęk przed intymnością. Przejmowała panowanie nad sytuacją.

Ralf nalał sobie ponownie whisky i rzucił jakby od niechcenia:

– Jesteś mi potrzebna.

Przerwa. Długa cisza. Maria nie starała się przerwać tej ciszy, ciekawa, jak on wybrnie z sytuacji.

– Potrzebuję ciebie, Mario. Jest w tobie światło. Nie masz jeszcze do mnie zaufania, sądzisz, że próbuję cię tylko oczarować. Nie pytaj: „Dlaczego mnie wybrał? Co jest we mnie takiego szczególnego?". Nie ma w tobie niczego szczególnego, niczego, co potrafiłbym opisać słowami. A jednak – oto tajemnica życia – odkąd cię zobaczyłem, nie mogę myśleć o niczym innym, tylko o tym, że cię potrzebuję.

– Wcale nie miałam zamiaru stawiać ci takich pytań – skłamała.

– Jeżeli chciałbym znaleźć jakieś wytłumaczenie, powiedziałbym, że udało ci się pokonać cierpienie i uczynić je czymś pozytywnym, twórczym. Ale to nie wyjaśnia wszystkiego. A ja? Jestem kreatywny, o moje obrazy walczą galerie z całego świata, spełniły się moje marzenia, cieszę się pełnią sił, jestem dość przystojny, mam wszystko, czego mężczyzna może zapragnąć... I nagle wyznaję kobiecie spotkanej przypadkowo w kawiarni, kobiecie, z którą spędziłem zaledwie jedno popołudnie: „Potrzebuję ciebie"... Czy wiesz, czym jest samotność?

– Wiem.

– Ale nie wiesz, co to znaczy być samotnym, kiedy każdego dnia dostajesz zaproszenia na przyjęcia, koktajle, premiery w teatrze, kiedy telefon się urywa, a wielbicielki twojego talentu proponują wspólną kolację. Kobiety piękne, inteligentne, wykształcone, a jednak coś cię powstrzymuje i mówi ci: „Nie idź tam. Nie będziesz się dobrze bawił. Spędzisz kolejną noc, próbując zrobić dobre wrażenie, roztrwonisz energię, starając się udowodnić samemu sobie, że potrafisz oczarować każdego". Więc zostaję w domu, siadam w pracowni i szukam światła, które dostrzegłem w tobie, a które udaje mi się zobaczyć jedynie wtedy, kiedy maluję.

– Co mogę ci dać, czego byś jeszcze nie miał? – spytała trochę urażona tym, że mówił o innych kobietach, ale w porę przypomniała sobie, że w końcu zapłacił za jej towarzystwo.

Wypił trzecią szklaneczkę whisky. Maria towarzyszyła mu w myślach, alkohol palił jej gardło, żołądek, pulsował w krwiobiegu, dodawał jej odwagi. Czuła się pijana... Głos Ralfa stał się bardziej stanowczy:

– No dobrze. Nie mogę kupić twojej miłości, ale powiedziałaś mi, że wiesz wszystko o seksie. No więc naucz mnie tego. Albo opowiedz mi o Brazylii. Wszystko mi jedno, bylebym mógł być blisko ciebie.

– Znam w Brazylii tylko dwa miasta. To, gdzie się urodziłam, i Rio de Janeiro. Jeśli zaś chodzi o seks, nie sądzę, abym cię mogła czegokolwiek nauczyć. Mam prawie dwadzieścia trzy lata, ty zaledwie sześć lat więcej, ale wiem, że żyłeś intensywniej ode mnie. Mężczyźni, których spotykam, płacą mi za robienie tego, czego oni chcą, a nie za to, czego ja chcę.

– Próbowałem już seksu z jedną, dwoma, trzema partnerkami naraz. I niewiele mi to dało.

Znów zapadła cisza. Teraz kolej na Marię.

– Jestem ci potrzebna jako prostytutka?

– Potrzebuję ciebie, na twoich warunkach.

Nie, to niemożliwe, że tak odpowiedział. Dokładnie to pragnęła usłyszeć. I znów trzęsienie ziemi, wybuch wulkanu, huragan. Jeszcze chwila i wpadnie w zastawione sidła. Straci tego mężczyznę, zanim naprawdę go zdobędzie.

– Ty wiesz, Mario. Naucz mnie. Może to uratuje mnie, uratuje ciebie, pozwoli nam odnaleźć sens życia. Masz rację, jestem tylko o sześć lat od ciebie starszy, ale czuję się wypalony, jakby moje życie już się skończyło. Różnią nas doświadczenia, ale oboje pogrążamy się w rozpaczy. Tylko razem możemy znaleźć ukojenie.

Dlaczego tak mówił? Nie do wiary! Widzieli się jeden jedyny raz, a już potrzebowali siebie nawzajem. Gdyby mieli się nadal spotykać, do jakiego spustoszenia mogłoby to doprowadzić! Maria była kobietą inteligentną, ostatnimi czasy wiele czytała i bacznie obserwowała ludzi. Wprawdzie postawiła przed sobą jasny cel i zawzięcie do niego dążyła, ale miała też duszę. Duszę, która mogła obnażyć jej „światło".

Nie chciała być dłużej tym, kim była, lecz jeszcze nie wiedziała o sobie wszystkiego. Czemu ten człowiek prosi ją, prostytutkę, by go ratowała? To czysty absurd! A jednak inni mężczyźni zachowywali się wobec niej podobnie. Wielu miało trudności z erekcją, inni chcieli być traktowani jak dzieci, jeszcze inni zapewniali ją, że marzą o takiej żonie jak ona, gdyż podniecała ich myśl, że miała wielu kochanków. Choć dotąd nie poznała żadnego spośród „specjalnych klientów", zdążyła już odkryć szeroki wachlarz męskich fantazji seksualnych. Jednak żaden z tych mężczyzn nigdy jej nie prosił, by wyrwała go z piekła. Przeciwnie, to raczej oni chcieli ją wyrwać z jej piekła.

Dawali jej pieniądze, ale odbierali energię. Czy tylko tyle od nich dostawała? Przecież niektórzy z nich naprawdę szukali miłości, nie tylko seksu. Czego właściwie od nich chciała? Cóż takiego ważnego miało się stać na pierwszym spotkaniu? Co chciałaby naprawdę dostać? Nagle pod wpływem impulsu wzięła Ralfa za rękę i poprowadziła do salonu.

– Chciałabym dostać prezent – powiedziała.

Prezent? Nie wiedział, o co jej chodzi. Przecież już w taksówce, zgodnie z rytuałem, zapłacił za całą noc z góry.

Zgasiła wszystkie światła, usiadła na dywanie i poprosiła, by usiadł naprzeciw niej.

– Rozpal ogień w kominku.

– Ale przecież jest lato.

– Rozpal ogień. Chcesz, bym to ja była dziś przewodnikiem, więc spełnij moją prośbę.

Wyszedł do ogrodu, przyniósł kilka wilgotnych polan, dorzucił stare gazety na podpałkę i rozniecił ogień. Potem ruszył do kuchni po następną butelkę whisky, lecz Maria go powstrzymała.

– Czy zapytałeś mnie, na co mam ochotę?

– Nie.

– A więc nie zapominaj, że osoba, która jest tu z to-

bą, istnieje. Pomyśl o niej. Zastanów się, czy chce whisky, ginu czy kawy. Zapytaj, na co ma ochotę.
– Czego się napijesz?
– Wina. I chciałabym, żebyś napił się ze mną.
Kiedy wrócił z butelką czerwonego wina, ogień trzaskał już wesoło w kominku. Maria zachowywała się tak, jakby od zawsze wiedziała, jaki jest pierwszy krok: dostrzec drugiego człowieka, uświadomić sobie, że on istnieje, jest obok.
Otworzyła torebkę i wyjęła pióro kupione niedawno w supermarkecie.
– To dla ciebie. Kupiłam je z myślą o moim pamiętniku. Służyło mi przez dwa dni, a teraz daję je tobie. Daję ci w prezencie coś, co naprawdę należy do mnie. To wyraz szacunku wobec człowieka, który siedzi naprzeciw, sposób, by powiedzieć mu, jakie to ważne, że jest blisko. Masz teraz malutką cząstkę mnie samej, cząstkę, którą podarowałam ci z własnej, nieprzymuszonej woli.

Ralf wstał, podszedł do etażerki i przyniósł jakiś przedmiot, który podał Marii.
– To wagonik kolejki elektrycznej, którą dostałem w dzieciństwie. Nie wolno mi się było nią bawić samemu, bo, jak twierdził mój ojciec, została sprowadzona z Ameryki i kosztowała majątek. Musiałem zawsze cierpliwie czekać, aż ojcu przyjdzie ochota rozłożyć kolejkę na środku salonu. On jednak zazwyczaj w niedziele wolał słuchać arii operowych. Tak więc ta droga zabawka nie dała mi w dzieciństwie żadnej radości i jak widzisz, nawet dziś wygląda na nieużywaną. Schowałem na strychu wszystkie tory, lokomotywę, stacje kolejowe, a nawet instrukcję obsługi. Miałem kolejkę, która tak naprawdę nie była moja, którą się wcale nie bawiłem. Ta nietykalna kolejka kojarzy mi się zawsze z utraconą częścią mojego dzieciństwa. Zabawka była zbyt droga albo ojciec zbyt pochłonięty swoimi sprawami. Zresztą sam nie wiem, może po prostu bał się okazać mi czułość?

Oboje sączyli czerwone wino, przypatrując się w milczeniu płomieniom tańczącym w kominku. Wcale nie musieli rozmawiać. Liczyło się tylko to, że byli tutaj razem, patrzyli na ten sam ogień.

– W moim życiu wiele jest nietykalnych kolejek – powiedziała wreszcie Maria. – Jedną z nich jest moje serce. I ja bawiłam się moimi kolejkami tylko wtedy, gdy inni rozłożyli tory – nie zawsze w odpowiedniej chwili.

– Ale ty przynajmniej kochałaś.

– Tak, kochałam. Bardzo kochałam. Tak bardzo, że gdy mój ukochany poprosił o prezent, przestraszyłam się i uciekłam.

– Nie rozumiem.

– Nie warto do tego wracać. Odkryłam coś, o czym nie miałam pojęcia, a czego teraz chcę nauczyć ciebie: trzeba dać prezent, coś od siebie, zanim poprosisz o coś więcej. Ty masz mój skarb – pióro, którym zapisałam parę moich marzeń, a ja mam twój – wagonik, część utraconego dzieciństwa. Trzymam teraz w dłoniach część twojej przeszłości, a ty część mojej teraźniejszości. To fantastyczne!

Podniosła się, zdjęła z wieszaka kurtkę i pocałowała go w policzek. Ralf nie wstał – zapatrzony w ogień, wspominał ojca.

– Nigdy tak naprawdę nie rozumiałem, po co trzymam tu ten wagonik. Dziś to już jasne: aby podarować go komuś pewnego wieczoru, gdy w kominku będzie płonął ogień. Teraz jest mi w tym domu jakoś lżej.

Oznajmił, że jeszcze w tym tygodniu odda dzieciom z sierocińca wszystkie tory, wagoniki i lokomotywy.

– To może być dziś wielka rzadkość, bo takich kolejek już się nie produkuje – odezwała się Maria.

I natychmiast pożałowała swoich słów. Jemu nie chodziło przecież o pozbycie się kolejki, ale o uwolnienie się od uczuć z nią związanych. Nie chcąc się znowu wyrwać z czymś niestosownym, pocałowała go raz jeszcze w policzek. Poprosiła, by otworzył jej drzwi.

W Brazylii panował bowiem osobliwy przesąd: wychodząc po pierwszej wizycie z czyjegoś domu, nie należało samemu otwierać drzwi, bo to mogłoby znaczyć, że już się nigdy do tego domu nie powróci.

– ...a ja chcę tu wrócić.

– Nawet cię nie dotknąłem, a jednak się kochaliśmy.

Maria roześmiała się. Chciał ją odwieźć, ale odmówiła.

– Odwiedzę cię jutro w „Copacabanie".

– Nie przychodź jutro. Poczekaj parę dni. Nie ma nic trudniejszego od czekania. Muszę się z tym oswoić, poczuć, że jesteś ze mną, nawet jeśli nie ma cię w pobliżu.

Nie po raz pierwszy wędrowała nocą przez Genewę. Zwykle jednak te spacery kojarzyły się jej ze smutkiem, z samotnością i tęsknotą za Brazylią.

Lecz tego wieczoru szła na spotkanie samej siebie, na spotkanie kobiety, która przez trzy kwadranse siedziała przy kominku w towarzystwie drogiego jej mężczyzny, kobiety pełnej wewnętrznego blasku, mądrości, doświadczeń i zachwytu nad światem. Marii mignęła już ta twarz owego dnia, gdy przechadzała się nad jeziorem i głowiła nad tym, co ze sobą począć. Wtedy na twarzy tej gościł smutny uśmiech. Po raz drugi zobaczyła tę kobietę na płótnie malarza. Teraz czuła znowu jej obecność. Złapała taksówkę dopiero wtedy, gdy ta tajemnicza postać zniknęła.

Fragment pamiętnika Marii napisany tej nocy, kiedy Ralf podarował jej wagonik elektrycznej kolejki:

Co sprawia, że właśnie ta kobieta i właśnie ten mężczyzna chcą się do siebie zbliżyć? Co sprawia, że budzi się w nich pożądanie? To tajemnica. Kiedy ich pożądanie jest jeszcze niczym nie skalane, przeżywają każdą sekundę z namaszczeniem, w pełni świadomi, wyczekując najbardziej dogodnej chwili, by przyjąć błogosławiony dar losu.

Ci, którzy zaznali takiego pożądania „w stanie czystym", nie przyśpieszają pochopnie biegu wypadków. Wiedzą, że to, co nieuniknione, nadejdzie, że to, co stać się musi, zawsze znajdzie sposób, by zaistnieć. A kiedy ten moment nadchodzi, nie wahają się, nie tracą okazji, nie pozwalają umknąć ani jednej cudownej chwili, potrafią uszanować doniosłość każdej sekundy.

Maria zdała sobie sprawę, że znów wpadła w pułapkę. A przecież tak długo siłą woli udawało jej się unikać podobnych niebezpieczeństw. Teraz, gdy to się stało, nie była jednak ani smutna, ani zaniepokojona. Przeciwnie, poczuła się wolna – nie miała już nic do stracenia. Choć ich spotkanie było bardzo romantyczne, wiedziała, iż pewnego dnia Ralf Hart przypomni sobie, że ona jest tylko prostytutką, a on szanowanym artystą; że ona pochodzi z kraju położonego na drugim krańcu świata, wiecznie pogrążonego w kryzysie gospodarczym, a on mieszka w raju, w którym życie każdego obywatela jest zorganizowane i chronione, począwszy od chwili jego przyjścia na świat. On chodził do najlepszych szkół, zwiedził największe muzea świata, a ona ledwie ukończyła szkołę średnią. Wiedziała też, że sny pryskają jak bańki mydlane. Żyła dostatecznie długo, by przekonać się, że marzenia i rzeczywistość to dwie sfery trudne do pogodzenia. Teraz cieszyło ją najbardziej to, iż może powiedzieć rzeczywistości, że już jej nie potrzebuje, a jej szczęście nie zależy od tego, co się wydarzy. Boże, ależ stała się romantyczna!

Przez cały tydzień zastanawiała się, w jaki sposób uszczęśliwić Ralfa. Przywrócił jej godność i światło, które uznała za stracone na zawsze, lecz jedynym sposobem, by mu się za to odwdzięczyć, był seks, który on uważał za jej specjalność. W „Copacabanie" wpadła już w rutynę i teraz postanowiła ją przełamać.

Wybrała się na kilka filmów pornograficznych, ale nie znalazła w nich niczego ciekawego – może z wyjątkiem pewnych wariantów dotyczących liczby partnerów. Ponieważ filmy w niczym jej nie pomogły, po raz pierwszy od przyjazdu do Genewy postanowiła kupić kilka książek, choć uważała, że nie powinna zagracać swego mieszkania, które już wkrótce opuści. Weszła do odkrytej podczas spaceru z Ralfem księgarni i poprosiła o książki na temat seksu.

– Wybór jest ogromny – powiedziała sprzedawczyni. – Można odnieść wrażenie, że ludzie nie interesują się niczym innym. Jest pełno przeróżnych specjalistycznych poradników, a w każdej powieści na tych półkach znajdzie pani opis co najmniej jednej sceny erotycznej.

Doświadczenie podpowiedziało Marii, że ta młoda kobieta się myli. Chcemy wierzyć, że cały świat kręci się wokół seksu. Ludzie odchudzają się, kupują peruki, spędzają długie godziny u fryzjera lub na siłowni, wkładają obcisłe ubrania, by wzniecić u kogoś pożądanie. I co z tego? Kiedy dochodzi co do czego – jedenaście minut i po wszystkim. Żadnej inwencji, nic, co pomogłoby znaleźć się w siódmym niebie.

Maria podeszła do działu specjalistycznego i znalazła tam wiele opasłych tomów o gejach, lesbijkach, zakonnicach wyjawiających gorszące tajemnice Kościoła oraz ilustrowane poradniki o technikach erotycznych Wschodu. Zaciekawiła ją tylko jedna książka zatytułowana *Seks sakralny* i właśnie ją kupiła.

Wróciła do domu, nastawiła spokojną muzykę, otworzyła książkę i obejrzała ilustracje przedstawiające pozycje, które byłby w stanie wykonać tylko cyrkowy akrobata.

Dwie godziny później zdała sobie sprawę, że po pierwsze, powinna coś zjeść, bo musi wkrótce iść do pracy, i po drugie, że autor, a właściwie autorka tej książki nie zna się wcale na rzeczy. Było tam dużo teorii, orientalny nastój, zbędne rytuały, dziwaczne porady. Widać było, że ta kobieta medytowała w Himalajach (Maria pomyślała, że musi sprawdzić na mapie, gdzie to jest), praktykowała jogę (o tym już słyszała) i że dużo czytała na ten temat, gdyż cytowała wielu autorów, lecz nie rozumiała sedna sprawy. Seks to nie jest kwestia teorii, woni kadzidła, czułych punktów, wygibasów i innych dziwactw. Jak można pisać na temat, w którym nawet Maria, pracująca w tej branży, ledwie się rozeznaje? Może była to wina Himalajów, czy też potrzeby komplikowania czegoś, czego urokiem jest prostota i uczucie. Jeżeli tej kobiecie udało się wydać tak głupie dzieło, Maria mogła poważnie myśleć o własnej książce, zatytułowanej *Jedenaście minut*, w której bez cienia cynizmu czy hipokryzji opowie po prostu swoją historię, nic więcej.

Ale teraz nie miała ani czasu, ani ochoty, by myśleć o pisaniu. Musiała skupić całą swoją energię na tym, jak uczynić Ralfa Harta szczęśliwym, i dowiedzieć się jak najwięcej o zarządzaniu gospodarstwem rolnym, które już wkrótce zamierzała nabyć.

Pamiętnik Marii, pisany zaraz po tym, jak odłożyła nudną książkę:

Spotkałam mężczyznę i zakochałam się w nim. Pozwoliłam sobie na to z prostego powodu: niczego od niego nie oczekuję. Wiem, że za parę miesięcy będę daleko stąd, a on stanie się tylko odległym wspomnieniem, ale nie mogłam już dłużej znieść życia bez miłości, dusiłam się.

Piszę opowiadanie dla Ralfa Harta. Nie wiem, czy przyjdzie jeszcze kiedykolwiek do „Copacabany", ale po raz pierwszy w życiu jest mi wszystko jedno. Wystarczy, że go kocham, że myślę o nim i że jego słowa, jego czułość dodają uroku temu miastu. Gdy opuszczę ten kraj, będzie on dla mnie miał konkretną twarz i imię, zabiorę ze sobą wspomnienie ognia igrającego w kominku.

Zanim wyjadę, chciałabym móc zrobić dla Ralfa to, co on uczynił dla mnie. Wiele o tym myślałam i zrozumiałam, że nie znalazłam się w tej kawiarni przez przypadek. Najważniejsze spotkania odbywają się w duszy, na długo przed tym, nim spotkają się ciała. Zwykle do takich spotkań dochodzi wówczas, gdy dotykamy dna, gdy mamy ochotę umrzeć i narodzić się ponownie.

Każdy potrafi kochać, to wrodzony dar. Jednym przychodzi to spontanicznie, lecz większość z nas musi się tego ponownie nauczyć. Musimy przypomnieć sobie, jak się kocha, i wszyscy bez wyjątku spalić się w ogniu minionych namiętności, przeżyć raz jeszcze radości i udręki, wzloty i upadki, aż w końcu uda nam się dostrzec tajemniczą nić, która łączy wszystkie nasze spotkania. Wtedy ciało uczy się mówić językiem duszy – można to nazwać też seksem. I tym właśnie chciałabym obdarować mężczyznę, który przywrócił mi duszę. O to mnie poprosił i to dostanie. Chcę, by był szczęśliwy.

Życie potrafi być skąpe: mijają dni, tygodnie, miesiące, lata i nic się nie wydarza. A potem uchylamy jakieś drzwi – tak było z Marią i Ralfem – i nagle przez szczelinę wdziera się istna lawina. W jednej chwili nie mamy nic, a już w następnej aż tyle, że trudno sobie z tym poradzić.

131

Gdy Maria zjawiła się w „Copacabanie", Milan spytał, jak jej poszło z tym malarzem. Ralf musiał być tu kiedyś częstym bywalcem. Maria zrozumiała to, gdy zapłacił stawkę bez pytania o jej wysokość. Wzruszyła ramionami. Ale Milan nie dał się zwieść. Znał życie lepiej niż ona.

– Chyba jesteś już gotowa do następnego etapu. Pewien klient od jakiegoś czasu pyta o ciebie. Mówiłem mu, że nie masz doświadczenia. Ale już czas spróbować.

– Klient specjalny? A co to ma wspólnego z tym malarzem?

– To również specjalny klient.

A więc Ralf bywał wcześniej u jej koleżanek? Przygryzła wargi i nie odezwała się – miała za sobą wspaniały tydzień, nie chciała tego zmarnować.

– Czy mam robić to samo co z malarzem?

– Nie wiem, co robiliście, ale odmów dziś, jeśli ktoś

zaproponuje ci drinka. Klienci specjalni dobrze płacą. Nie będziesz żałowała.

Wieczór zaczął się jak zwykle. Tajki usiadły razem, Kolumbijki robiły zblazowane miny, trzy Brazylijki (łącznie z nią) udawały roztargnienie, jakby nie działo się nic godnego uwagi. Była też Austriaczka, dwie Niemki, kilka kobiet z Europy Wschodniej, wysokich, o jasnych oczach, ładnych – one najszybciej wychodziły za mąż.

Weszli mężczyźni – Rosjanie, Szwajcarzy, Niemcy, głównie przepracowani szefowie dużych firm. Stać ich było na usługi najdroższych prostytutek w jednym z najdroższych miast świata. Gdy kierowali się do stolika Marii, zerkała dyskretnie na Milana, a on za każdym razem dawał jej znak, by odmawiała. Cieszyło ją to: dzisiejszego wieczoru nie będzie musiała rozkładać nóg, znosić cudzych zapachów, brać prysznica w hotelowych łazienkach. Jedyne, co ma zrobić, to nauczyć znużonego seksem mężczyznę, jak odnaleźć w tym na nowo przyjemność.

Zastanawiała się, dlaczego tacy klienci, skoro spróbowali już wszystkiego, chcą od nowa uczyć się miłości. No, ale to już nie jej sprawa. Skoro płacili, była do ich dyspozycji.

Wszedł przystojny brunet wyglądający młodziej niż Ralf Hart; lśniące białe zęby, garnitur w chińskim stylu. Nie miał krawata. Zamienił parę słów z Milanem i podszedł do niej.

– Napijesz się czegoś?

Milan skinął głową, więc pozwoliła, by mężczyzna przysiadł się do jej stolika. Zamówiła koktajl owocowy i oczekiwała na zaproszenie do tańca. Przedstawił się:

– Nazywam się Terence, pracuję w wytwórni płytowej w Anglii. Liczę na twoją dyskrecję. Milan powiedział mi, że wiesz, czego chcę.

– Nie wiem wprawdzie, czego chcesz, ale znam swój fach.

Zapłacił rachunek, wziął ją za rękę. Wsiedli do taksówki, gdzie od razu wręczył jej tysiąc franków. Przez chwilę pomyślała o Arabie, z którym była w restauracji ozdobionej reprodukcjami znanych obrazów. Po raz drugi otrzymała tak wysoką stawkę, ale zamiast zadowolenia ogarnął ją niepokój.

Taksówka zatrzymała się przed jednym z najdroższych genewskich hoteli. Mężczyzna pozdrowił portiera jak stały bywalec. Poszli prosto do apartamentu z widokiem na rzekę. Terence otworzył butelkę dobrego wina i nalał jej kieliszek.

Sącząc wino, przyglądała mu się uważnie. Czego bogaty, przystojny mężczyzna mógł szukać w ramionach prostytutki? Nie był zbyt rozmowny, więc milczała, zastanawiając się, co mogłoby zadowolić „specjalnego klienta". Czuła, że nie do niej należy inicjatywa, ale miała zamiar włączyć się do gry, na ile będzie to konieczne. W końcu nie każdego wieczoru zarabiała tysiąc franków szwajcarskich.

– Nie musimy się śpieszyć – powiedział Terence. – Mamy tyle czasu, ile chcemy. Możesz tu spać, jeśli masz ochotę.

Niepokój chwycił ją za gardło. Mężczyzna zachowywał się swobodnie, mówił spokojnym głosem, inaczej niż inni klienci. Wiedział, czego chce. Nastawił doskonałą muzykę, o doskonałym natężeniu dźwięku, w doskonałym pokoju wychodzącym na jezioro w doskonałym mieście. Jego garnitur był nieskazitelnie skrojony, w kącie stała mała walizka, jakby nie potrzebował zbyt wielu rzeczy w podróży albo przyleciał do Genewy tylko na tę jedną noc.

– Nie będę tu spała – odpowiedziała Maria.

Uprzejme dotąd spojrzenie mężczyzny stało się lodowate.

– Usiądź tu – powiedział, wskazując krzesło obok sekretarzyka.

To był rozkaz! Naprawdę rozkaz. Maria posłuchała go i o dziwo, podnieciło ją to.

– Siedź prosto. No, wyprostuj się jak kobieta z klasą. Inaczej będę musiał cię ukarać.

Ukarać!? W okamgnieniu wszystko stało się jasne. Zerwała się na równe nogi, chwyciła torebkę i wyjąwszy z niej tysiąc franków, położyła na sekretarzyku.

– Wiem, czego chcesz – rzekła, patrząc mu prosto w lodowato niebieskie oczy. – Nie jestem gotowa.

Mężczyzna jakby się ocknął, zrozumiał, że dziewczyna nie żartuje.

– Napij się jeszcze wina. Nie mam zamiaru zmuszać cię do niczego. Możesz chwilę zostać albo wyjść od razu, jeżeli taka twoja wola.

Poczuła się pewniej.

– Mam dobrą pracę. Mój szef chroni mnie i ma do mnie zaufanie. Proszę cię, żebyś mu o tym nie opowiadał – powiedziała głosem, w którym nie było prośby. Po prostu stwierdziła fakt.

Terence był już znów sobą – ani łagodny, ani groźny, po prostu mężczyzna, który w przeciwieństwie do innych klientów sprawiał wrażenie kogoś, kto dokładnie wie, czego chce. Wydawał się wychodzić z transu, z teatralnego przedstawienia, które nawet się nie zaczęło. Czy warto było tak po prostu odejść, nie dowiedziawszy się, co kryje się pod tajemniczą nazwą „klienta specjalnego"?

– Czego dokładnie chcesz?

– Dobrze wiesz. Bólu, cierpienia i dużo rozkoszy.

„Ból i cierpienie nie idą w parze z rozkoszą" – pomyślała Maria, choć gorąco pragnęła, by właśnie szły ze sobą w parze, bo to dawało nadzieję, że również to, co w jej życiu było złe, co przynosiło cierpienie i ból, może przeobrazić się w radość, rozkosz i dobro.

Wziął ją za rękę i poprowadził do okna. Po drugiej stronie jeziora widać było wieżę katedry – Maria przypomniała sobie, że przechodziła tamtędy Drogą Świętego Jakuba u boku Ralfa Harta.

– Widzisz tę rzekę, to jezioro, domy, kościół? Pięćset lat temu musiało to wyglądać mniej więcej podobnie. Tyle tylko, że miasto było zupełnie wyludnione. W Europie szerzyła się nieznana, zbierająca śmiertelne żniwo choroba. Nazwano ją dżumą, czarną śmiercią, karą, którą Bóg zesłał na ludzi za ich grzechy. Byli wśród nich i tacy, którzy postanowili poświęcić się dla dobra ludzkości, składając Bogu w przebłagalnej ofierze to, czego obawiano się najbardziej: fizyczny ból. Przemierzali dniem i nocą drogi i gościńce, biczując się i kalecząc łańcuchami. Cierpieli w imię Boga i poprzez swój ból oddawali cześć Bogu. Wnet jednak odkryli, że ten ból przestał być dla nich udręką, a przerodził się w rozkosz i radość, którą czerpali ze swego poświęcenia. Stał się sensem ich życia. Byli wówczas szczęśliwsi niż wtedy, gdy piekli chleb, uprawiali ziemię, pędzili stada na pastwiska.

W jego oczach znów zatlił się ten lodowaty blask, jaki widziała kilka minut wcześniej. Wziął pieniądze, które położyła na sekretarzyku, odliczył sto pięćdziesiąt franków i wsunął jej do torebki.

– Nie martw się o szefa. Oto jego prowizja i obiecuję, że nie pisnę mu ani słowa. Możesz już iść.

Odebrała mu banknoty.

– Nie odejdę!

W tym okrzyku było wszystko: wino, które szumiało jej w głowie, pierwsza noc z Arabem, kobieta o zasmuconym uśmiechu, myśl, że nigdy już nie wróci w to przeklęte miejsce, strach przed miłością, która przybierała postać konkretnego mężczyzny, listy, w których pisała matce o światowym życiu pełnym perspektyw, pierwsza miłość, zmaganie z samą sobą, poczucie winy, ciekawość, pieniądze, poszukiwanie własnych granic, okazje, które przeszły jej koło nosa. Stała tu inna Maria: nie dawała podarków, składała samą siebie w ofierze.

– Pokonałam lęk. Możemy przejść do następnego

135

etapu. Jeśli trzeba, ukarz mnie, bo na to zasłużyłam. Kłamałam, zdradzałam, źle traktowałam tych, którzy mnie kochali.

Weszła w rolę. Mówiła to, co należało mówić.

– Uklęknij! – rozkazał Terence głosem głuchym, niepokojącym.

Posłuchała. Nikt jej dotąd tak nie potraktował, ciekawiło ją, co będzie dalej. Zresztą godna była poniżenia za wszystkie swoje złe uczynki. Wczuwała się w nową postać, w postać kobiety, której wcale nie znała.

– Zostaniesz ukarana. Jesteś głupia, nie masz pojęcia o seksie, o życiu, o miłości.

Miała wrażenie, że jest dwóch Terence'ów: jeden spokojnie wyjaśniał jej zasady, drugi powodował, że czuła się jak najnędzniejsza istota pod słońcem.

– Wiesz, dlaczego to robię? Bo nie ma chyba większej przyjemności niż wprowadzać kogoś w nieznany mu świat. Odbierać mu niewinność – nie cielesną, lecz duchową, rozumiesz?

Rozumiała.

– Dziś jeszcze wolno ci zadawać pytania. Ale następnym razem, gdy kurtyna naszego teatru pójdzie w górę, nie będzie już odwrotu. Chyba że nasze dusze się nie zgrają, wtedy przerwiemy przedstawienie. Pamiętaj, to teatr. Musisz wejść w rolę osoby, którą nigdy nie miałaś odwagi być. Z czasem odkryjesz, że ta postać to ty sama, ale dopóki sobie tego w pełni nie uświadomisz, udawaj, staraj się improwizować.

– A jeśli nie wytrzymam bólu?

– Nie ma bólu, jedynie doznanie, które powoli przeradza się w rozkosz, w misterium. Słowa „Nie rób mi tego, to bardzo boli” i „Przestań, nie wytrzymuję już!” są częścią tego widowiska. Nie patrz na mnie!

Maria, klęcząc, opuściła głowę i wbiła wzrok w podłogę.

– Aby uniknąć cielesnych obrażeń, będziemy mieli dwa hasła. Gdy jedno z nas powie „żółty”, znaczy to, że torturę należy nieco złagodzić. Na hasło „czerwony" trzeba ją natychmiast przerwać.

– Powiedziałeś „jedno z nas"?

– Będziemy zamieniać się rolami. Jedno nie istnieje bez drugiego. Kto sam nie zaznał poniżenia, nie potrafi poniżyć.

Były to straszne słowa, płynące ze świata ciemności, bagna i zgnilizny. A jednak miała ochotę poddać się tej próbie – jej ciało drżało zarówno ze strachu, jak i z podniecenia.

Pogłaskał ją po policzku z nieoczekiwaną czułością.

– Koniec.

Poprosił, by wstała, nie jakoś szczególnie delikatnie, ale też nie ostro. Wciąż drżąc, Maria włożyła kurtkę. Terence dostrzegł to drżenie.

– Przed wyjściem zapal papierosa.

– Przecież nic się nie stało.

– To nie było konieczne. To, co ma się stać, zacznie się dziać w twojej duszy. Wiem, że gdy spotkamy się następnym razem, będziesz gotowa.

– Czy ten wieczór wart był tysiąca franków?

Milczał. Zapalił papierosa, dopili wino. Słuchali muzyki, smakując razem milczenie, które Maria przerwała, dziwiąc się własnym słowom:

– Nie rozumiem, dlaczego mam ochotę pławić się w tym bagnie.

– Tysiąc franków.

– To nie to.

Terence wydawał się zachwycony jej odpowiedzią.

– Nieraz się nad tym zastanawiałem. Markiz de Sade mawiał, że najważniejszym doświadczeniem człowieka jest poznanie granic własnej wytrzymałości. Tylko w ten sposób jesteśmy w stanie czegoś się nauczyć, ale to wymaga pewnej odwagi. Kiedy silniejszy poniża słabszego, jest zwykłym tchórzem albo mści się za nieudane życie. Tacy ludzie nie odważają się nigdy spojrzeć w głąb siebie, nie chcą wiedzieć, skąd się bierze potrzeba uwolnienia w sobie dzikiej bestii. Nie pojmują, że seks, ból, miłość to ludzkie granice. Tylko ten, kto pozna te granice, może poznać życie. Cała reszta to zabijanie czasu, powielanie tych samych schematów, starzenie się i umieranie bez świadomości, po co właściwie żyjemy.

Znów ulica, chłód i nieprzeparta ochota, by włóczyć się samotnie po mieście. Terence mylił się – niekoniecznie trzeba poznać swoje demony, by spotkać się z Bogiem. Minęła grupę lekko podchmielonych studentów wychodzących z baru. Byli piękni, roześmiani, tryskali energią. Niebawem skończą studia i rozpoczną „prawdziwe życie": praca, ślub, dzieci, rutyna codzienności, gorycz, starość, poczucie przemijania, frustracje, choroby, niedołężność, uzależnienie od innych, samotność i śmierć.

O co jej właściwie chodziło? Też chciała skosztować „prawdziwego życia", a pobyt w Szwajcarii i zawód, którego nigdy wcześniej nie miała zamiaru wykonywać, traktowała jak trudny epizod, który mógł się przytrafić każdemu. To prawda, chodziła do „Copacabany", oddawała się mężczyznom za pieniądze, zachowywała się jak Niewinna Dziewczynka, Femme Fatale albo Wyrozumiała Matka, zależnie od okoliczności. Ale przecież to tylko praca, w której starała się być w stu procentach profesjonalistką (w nadziei na sute napiwki), a jednocześnie minimalnie zaangażowana (z obawy, że wciągnie ją to na dobre). Przez dziewięć miesięcy udawało jej się panować nad sytuacją. A teraz, na krótko przed powrotem nagle odkryła, że potrafi kochać, nie żądając niczego w zamian, i może cierpieć bez powodu. Jakby życie wybrało ten ohydny sposób, by odkryć przed nią część swych tajemnic, swoje światło i swój cień.

Pamiętnik Marii pisany tego wieczoru, gdy spotkała się z Terence'em:

Cytował de Sade'a. Nigdy wprawdzie nie przeczytałam ani jednej linijki z de Sade'a, ale nieraz słyszałam o tym, że nie można poznać samego siebie, dopóki nie pozna się własnych granic. Ale czy musimy koniecznie wszystko o sobie wiedzieć? Człowiek istnieje nie tylko po to, by poszerzać granice swego poznania, lecz również po to, by uprawiać ziemię, siać, żąć, wypiekać chleb.

Są we mnie dwie kobiety. Jedna pragnie namiętności i przygód. Druga natomiast chce być niewolnicą rutyny, życia rodzinnego, drobnych spraw, które można zaplanować i wykonać. Zmagają się we mnie przykładna pani domu i prostytutka.

Spotkanie tych dwóch kobiet w jednym ciele jest bardzo ryzykowną sprawą. Bo to współistnienie dwóch boskich energii, dwóch przeciwstawnych światów i może się zdarzyć, że jeden świat zniszczy drugi.

I znów salon Ralfa Harta, ogień w kominku. Piją czerwone wino, siedzą na podłodze. Dyrektor wytwórni płytowej i wydarzenia poprzedniego wieczoru są już tylko odległym snem lub koszmarem, w zależności od nastroju. Maria uzmysłowiła sobie, że żyje właściwie po to

tylko, by złożyć komuś siebie, swoje serce w szaleńczej ofierze, nie spodziewając się niczego w zamian.

W oczekiwaniu na tę chwilę zrobiła spore postępy. Zrozumiała, że prawdziwa miłość nie ma nic wspólnego z jej dotychczasowymi wyobrażeniami, to znaczy z całym łańcuchem następstw, które wynikały ze stanu zakochania: zaloty i obietnice, oświadczyny, ślub, dzieci, oczekiwanie, wspólna starość, koniec czekania, a potem już tylko emerytura, choroby i bezsilność – poczucie, że na wszystko jest już za późno.

Patrzyła na mężczyznę, któremu postanowiła się oddać. Był pogodny i rozpromieniony, jakby dobrze mu się w życiu wiodło. Opowiadał ze swadą o swoim spotkaniu z dyrektorem dużego muzeum w Monachium.

– Pytał mnie, jak się posuwają prace nad obrazem genewczyków. Powiedziałem mu, że poznałem pewną osobę, którą chciałbym namalować. Kobietę pełną światła. Ale nie chcę o tym teraz mówić, mam ochotę cię pocałować. Pragnę cię.

Pragnie. Pożąda? Pożądanie! Tak, już wie, jak rozpocząć ten wieczór, na pożądaniu nieźle się znała! Na przykład: rozbudzić pożądanie, ale nie od razu je zaspokoić. – No więc pożądaj mnie. Siedzisz ode mnie na wyciągnięcie ręki, poznałeś mnie w nocnym barze, zapłaciłeś z góry za moje usługi, wiesz, że masz prawo do mojego ciała. Ale brak ci śmiałości, by mnie dotknąć. Spójrz na mnie. Spójrz na mnie i pomyśl, że może ja nie chcę, byś na mnie patrzył. Spróbuj wyobrazić sobie, co kryje się pod moim ubraniem.

Zawsze miała na sobie czarną sukienkę. Nie rozumiała, dlaczego inne dziewczyny z „Copacabany" nosiły wyzywające dekolty i krzykliwie kolorowe stroje. Uważała, że można uwieść mężczyznę, ubierając się jak każda inna kobieta, którą mógł spotkać w biurze, w pociągu czy na przyjęciu u przyjaciół żony.

Ralf patrzył na nią i Maria czuła, że rozbiera ją wzrokiem. Lubiła być pożądana w ten sposób, na odległość – jak w restauracji lub w kolejce do kina.

– Jesteśmy na dworcu – mówiła dalej. – Czekam obok ciebie na pociąg, nie znasz mnie. Ale nasze oczy przez przypadek się spotykają, a ja nie odwracam wzroku. Nie wiesz, co to znaczy, choć jesteś inteligentny i potrafisz dostrzec w człowieku wewnętrzny blask. Nie potrafisz jednak dojrzeć, co ten blask rozświetla.

Nie zapomniała o „teatrze". Chciała jak najszybciej wymazać z pamięci tego Anglika, ale jego obraz tkwił w niej uparcie, kierując jej wyobraźnią.

– Patrzę ci prosto w oczy i zapewne zadaję sobie pytanie: „Czy gdzieś go już widziałam?". A może to tylko roztargnienie albo nie chcę wyjść na osobę antypatyczną? Zostawiam cię przez kilka sekund w niepewności, zanim zdecyduję, czy znamy się, czy nie. Ale mogę również chcieć najprostszej rzeczy pod słońcem: spotkać kogoś. Może właśnie uciekam od złej miłości albo szukam zemsty za niedawną zdradę i przyjechałam na dworzec, by poznać kogokolwiek. Mogę chcieć przedzierzgnąć się w prostytutkę na jedną jedyną noc, tylko po to, by uciec od codziennej monotonii. Albo mogę być prostytutką polującą na jakiegoś klienta. Cisza. Myśli Marii nagle się rozpierzchły. Przypomniał się jej Anglik, hotel z widokiem na rzekę, upokorzenie – „żółty", „czerwony", „ból i wielka rozkosz".

Ralf spostrzegł to od razu i próbował przyciągnąć ją z powrotem na dworzec:

– Czy kiedy stoimy na peronie, ty też mnie pożądasz?

– Nie wiem – odparła. – Nic nie mówimy, nie możesz tego wiedzieć.

Jest nieuważna, rozkojarzona. W każdym razie pomysł z „teatrem" był pomocny: wreszcie stała się sobą, zniknęły maski, które zakładała na co dzień.

– Nie odwracam wzroku, a ty nie wiesz, co począć. Podejść? Odezwać się? Mogę zbyć cię byle czym, zawołać policjanta albo zaprosić cię na kawę. Nie mam pojęcia, co zrobię.

– Wracam właśnie z Monachium – powiedział Ralf Hart, jakby naprawdę stali na dworcowym peronie i widzieli się po raz pierwszy. – Mam zamiar namalować serię obrazów o seksie, a właściwie o rozlicznych maskach, za którymi skrywają się ludzie, by uciec przed prawdziwą bliskością z drugą osobą.

Znał ten „teatr", przecież Milan mówił, że on również należy do „specjalnych klientów". Ogarnęła ją trwoga.

– Dyrektor muzeum spytał mnie: „Na czym chce pan oprzeć się w swojej pracy?". Odparłem: „Na kobietach, które czują się na tyle wolne, by uprawiać miłość za pieniądze". „Co też pan opowiada! – żachnął się. – Te kobiety to prostytutki". „Tak, to prostytutki – odpowiedziałem. – Mam zamiar poznać ich życie i na moich obrazach pokazać ich wymiar duchowy, co z pewnością przypadnie do gustu rodzinom, które odwiedzają pańskie muzeum. Jak sam pan wie, to kwestia ogłady, pewnej konwencji. Przedstawię w ciepły, ujmujący sposób to, co tak trudno nam przełknąć".

„Ależ seks to już nie tabu! – zaprotestował. – To temat tak oklepany, że dziś trudno w tej materii powiedzieć coś sensownego". „A czy wie pan, skąd się bierze popęd seksualny?", spytałem. „Z instynktu", odparł bez wahania. „Tak, z instynktu, o tym wiedzą wszyscy. Ale trudno stworzyć interesujące dzieło, poprzestając jedynie na naukowych frazesach. Ja chciałbym opowiedzieć o tym, jak zwykły śmiertelnik tłumaczy sobie odwieczne przyciąganie płci, spojrzeć na to z punktu widzenia chociażby filozofii". Poprosił, bym dał na to jakiś przykład. Wtedy powiedziałem mu, że jeśli wracając do Genewy spotkam na dworcu wzrok jakiejś nieznajomej, to podejdę do niej i powiem, że skoro się nie znamy, możemy bez przeszkód zrobić to, na co dotychczas brakowało nam odwagi, i urzeczywistnić wszystkie nasze erotyczne fantazje, a potem każde z nas pójdzie w swoją stronę i nigdy już się nie spotkamy. No i na tym dworcu widzę ciebie.

– Twoja historia jest tak ciekawa, że tłumi pożądanie.

Ralf roześmiał się. Poszedł do kuchni po następną butelkę wina. Maria patrzyła na ogień, znając już ciąg dalszy. Całkiem zapomniała o Angliku i zaczęła się rozkoszować błogą atmosferą tego domu.

– Z czystej ciekawości zapytam: jak zakończysz tę rozmowę z dyrektorem muzeum?

Ralf napełnił dwa kieliszki.

– Jest intelektualistą, więc zacytuję mu greckiego filozofa. Według Platona, u zarania dziejów istniały tylko istoty dwupłciowe, które w niczym nie przypominały dzisiejszych kobiet i mężczyzn. Jedna szyja podtrzymywała jedną głowę o dwóch twarzach, z których każda patrzyła w innym kierunku. Były niczym bracia syjamscy zrośnięci plecami. Miały dwa narządy płciowe, cztery nogi i cztery ręce.

Lecz pewnego dnia zazdrośni bogowie zdali sobie

sprawę, że czterorękie stworzenie jest zadziwiająco pracowite, że dwie pary oczu nieustannie czuwają i trudno podejść je podstępem, cztery nogi bez większego wysiłku mogą długo stać i daleko zajść. Ale najgorsze było to, że istota obdarzona zarówno męskim, jak i żeńskim narządem płciowym była samowystarczalna w rozmnażaniu. Wtedy Zeus, władca Olimpu, rzekł: „Mam pomysł, jak odebrać moc tym śmiertelnikom". Cisnął piorun i rozpłatał owo stworzenie na pół. Tak narodzili się kobieta i mężczyzna. Wprawdzie liczba ludności na ziemi się podwoiła, ale jednocześnie ludzie poczuli się słabi i zagubieni. Odtąd musieli przemierzać świat w poszukiwaniu swej utraconej połowy, w poszukiwaniu czułego uścisku, w którym mogliby odnaleźć dawną moc, umiejętność obrony przed podstępem, odporność na zmęczenie i wytrwałość w pracy. I ten uścisk, w którym dwa ciała zlewają się na powrót w jedno, nazywamy dziś seksem.

– Czy to jest prawdziwa historia?

– Tak twierdził Platon.

Maria była zauroczona. Widziała przed sobą mężczyznę pełnego tego samego blasku, który on dojrzał w niej. Opowiadał ze swadą tę osobliwą historię, jego oczy lśniły entuzjazmem.

– Czy mogę cię o coś poprosić? – spytała.

Odparł bez wahania, że spełni każdą jej prośbę.

– Chciałabym, abyś odkrył, dlaczego – odkąd bogowie rozdzielili te czterorękie stworzenia – niektórym ludziom seks spowszedniał. Dlaczego uważają, że ten uścisk nie ma znaczenia, że zamiast ich wzmacniać, odbiera im energię. Od kiedy przestał być rzeczą świętą?

– Zrobię to, jeśli ci na tym zależy. Szczerze mówiąc, nigdy się nad tym nie zastanawiałem i o ile wiem, nikt tego nie zrobił, bo nie ma wiele publikacji na ten temat.

– Czy przyszło ci kiedyś do głowy, że kobiety, a zwłaszcza prostytutki, potrafią kochać?

– Tak. Zdarzyło mi się to, gdy siedzieliśmy po raz

pierwszy przy stoliku w kawiarni. Proponując ci drinka, zrozumiałem, że godzę się tym samym na wszystko, nawet na to, że przywołasz mnie znów do świata, który porzuciłem dawno temu.

Nie było już odwrotu. Ta druga Maria, panująca nad sobą, musiała przybyć natychmiast z odsieczą, gdyż inaczej rzuciłaby mu się na szyję i błagała, by nigdy jej nie opuszczał.

– Wróćmy na dworzec – powiedziała. – Albo raczej powróćmy do dnia, kiedy przyszliśmy po raz pierwszy do tego pokoju, kiedy uznałeś, że istnieję, i podarowałeś mi prezent. To była pierwsza próba zajrzenia w moją duszę, a przecież nie wiedziałeś, czy będziesz tam mile widziany. Jak wynika z twojej historii, ludzi rozdzielono i od tamtej pory poszukują tego mocnego uścisku, który połączyłby ich na nowo. To instynkt. Lecz dzięki niemu łatwiej nam znieść wszystkie przeciwności losu podczas tych poszukiwań. Pragnę, byś na mnie patrzył, a jednocześnie wolałabym nie widzieć tych spojrzeń. Pierwszy dreszcz pożądania jest tak ważny, właśnie dlatego że chcemy go stłumić, bronimy się przed nim. Nie masz żadnej pewności, czy ta osoba to twoja utracona połówka. Ona też tego nie wie, lecz coś was do siebie przyciąga i trudno się temu oprzeć.

„Skąd mi to wszystko przychodzi do głowy? – pomyślała. – Chyba z głębi serca, bo z całych sił pragnę, żeby tak właśnie było".

Opuściła odrobinę ramiączko sukienki, tak by odsłonić jedynie maleńki skrawek swojej piersi.

„Pożądasz nie tego, co widzisz, lecz tego, co sobie wyobrażasz".

Ralf patrzył na brunetkę w czarnej sukience siedzącą na podłodze w jego salonie, pełną ekstrawaganckich pomysłów, jak choćby ogień w kominku w środku lata. Tak, miał ochotę wyobrażać sobie, co kryje się pod cienką tkaniną, mógł odgadnąć kształt piersi, które nie były ani duże, ani małe, za to młode i jędrne. Niczego nie mógł wyczytać z jej spojrzenia. Cóż ona właściwie tu robi? Czemu podtrzymywał ten niebezpieczny, niedorzeczny związek, skoro mógł przebierać w kobietach do woli? Był bogaty, młody, sławny, przystojny. Uwielbiał swoją pracę, kochał z wzajemnością kobiety, które poślubił. Właściwie każdego dnia powinien głośno i donośnie obwieszczać całemu światu: „Jestem szczęśliwy!".

Lecz nie był szczęśliwy. Inni ludzie z trudem zdobywali kawałek chleba, dach nad głową, pracę, która pozwalałaby im jakoś wiązać koniec z końcem, a Ralf Hart to wszystko miał i może dlatego czuł się jeszcze bardziej podle. Ostatnimi czasy zdarzyły się takie dwa czy trzy dni, kiedy budził się rano, patrzył przez okno i cieszył się, że żyje, po prostu cieszył się, niczego nie pragnąc, niczego nie planując, niczego nie oczekując w zamian. Poza tym spalał się w płonnych marzeniach i frustracjach, w pragnieniu prześcignięcia samego siebie, w podróżach, których było dla niego za wiele, jakby próbował coś udowodnić, choć nie wiedział co, ani komu.

Przyglądał się pięknej, ubranej w dyskretną czerń kobiecie, którą spotkał przez przypadek, choć widział ją kiedyś w „Copacabanie". Już wtedy wydało mu się, że nie pasuje do tamtego miejsca. Teraz prosiła, by jej pożądał, i pożądał jej bardziej, niż mogła to sobie wyobrazić – lecz nie tyle jej ciała, ile jej obecności. Wystarczyłoby mu wziąć ją w ramiona, przytulić się do niej, przyglądać się płomieniom tańczącym w kominku, popijając wino i paląc papierosa. Życie składa się z prostych rzeczy. Zmęczyły go te wszystkie lata pogoni za Bóg wie czym.

Nie miał pewności, czy ona wie, jak dobrze mu blisko niej. Zapłacił za to? Tak, i będzie płacił tak długo, aż zjedna ją sobie na tyle, że będą mogli usiąść przytuleni do siebie nad jeziorem i mówić o miłości. Teraz jednak jej nie dotknie. Lepiej nie przyśpieszać biegu wypadków. I nie składać obietnic.

Przestał o tym rozmyślać i skupił się na grze, którą właśnie wymyślili. Kobieta siedząca naprzeciw niego miała rację: wino, ogień, czyjaś obecność to nie wszystko. Potrzebny był inny rodzaj upojenia, inny płomień. Miała na sobie sukienkę na cieniutkich ramiączkach, odsłonięty dekolt, widział jej ciało, lekko śniade. Pożądał jej każdą komórką swego ciała.

Maria dostrzegła zmianę w oczach Ralfa. Nic bardziej jej nie podniecało niż myśl, że jest pożądana. Nie miało to nic wspólnego z konwencją: chcę się z tobą kochać, chcę, byś miał orgazm, chcę wyjść za ciebie, mieć dziecko, zobowiązania. Nie, pożądanie powinno dawać poczucie wolności, wzbogacać życie, przenosić góry.

Tęsknota za tym pchnęła ją do wyjazdu z ojczyzny, odkrywania nowego świata. Dzięki niej nauczyła się francuskiego, przezwyciężyła własne przesądy, marzyła o farmie, kochała, nie oczekując nic w zamian. Przy tym mężczyźnie czuła się kobietą. Powolnym ruchem zsunęła drugie ramiączko, sukienka opadła jej na biodra. Zastygła w bezruchu na wpół naga, niepewna, czy on rzuci się na nią, pochwyci ją w ramiona i zacznie składać miłosne przysięgi, czy też okaże się na tyle wrażliwy, by odczuć rozkosz w samym pożądaniu.

Wszystko wokół nich ucichło, zniknęły obrazy, kominek i książki. Ogarnęło ich uczucie błogości. Sprawy tego świata straciły znaczenie.

Dostrzegła onieśmielenie w jego oczach, ale trwało to ułamek sekundy. Nawet nie drgnął. Patrzył tylko i w wyobraźni ją pieścił. Kochali się, całowali, łączyli na przemian czule i gwałtownie, krzyczeli i dyszeli z rozkoszy.

Ale tak naprawdę nie padło ani jedno słowo, oboje

nie uczynili żadnego gestu. Rozbudziło to jej zmysły i mogła swobodnie puścić wodze fantazji. Prosiła go, by pieścił ją delikatnie, rozchylała nogi, masturbowała się, szeptała słowa tkliwe i wulgarne, czuła dotyk jego ust na swojej skórze, miała wiele orgazmów, budziła sąsiadów, jej krzyk stawiał na nogi cały świat. Naprzeciw niej siedział mężczyzna, który dawał jej rozkosz i poczucie spełnienia, mężczyzna, przy którym mogła zrzucić wszystkie maski i być sobą, mówić bez wstydu o swoich fantazjach seksualnych, mężczyzna, któremu mogła powiedzieć, jak bardzo chciałaby z nim spędzić resztę nocy, tygodni, życia...

Pot spływał im po czołach. To przez ogień w kominku, tłumaczyli sobie wzajemnie w myślach. Ale oboje przekroczyli własne granice, puścili wodze wyobraźni, wspólnie przeżyli wieczność cudownych chwil. Musieli powstrzymać się, przerwać ten seans, by rzeczywistość nie przyćmiła magii tej chwili.

148   Bardzo powoli – bo koniec jest zawsze trudniejszy niż początek – zasłoniła piersi. Wszystko wróciło na swoje miejsce, pojawił się kominek, regały z książkami. Podciągnęła zsuniętą na biodra sukienkę, uśmiechnęła się i delikatnie pogładziła go po twarzy. Przycisnął jej dłoń do swojego policzka, niepewny, jak długo może ją zatrzymać przy sobie.

Miała ochotę wyznać mu miłość. Ale to popsułoby wszystko, mógłby się wystraszyć lub – co gorsza – zapewniać o wzajemności. Nie chciała tego: wolność w miłości to o nic nie prosić ani niczego nie oczekiwać.

– Ten, kto odkrywa człowieka, o którym marzył od dawna, pojmuje, że zmysły się budzą, zanim spotkają się ciała. Słowa, spojrzenia, czułe gesty, w tym tkwi tajemnica tańca miłości. Lecz pociąg nadjechał, każdy idzie w swoją stronę. Mam nadzieję towarzyszyć ci w tej podróży aż do... dokąd?

– Do powrotu do Genewy – odparł Ralf.

– Największą rozkoszą nie jest sam seks, ale pasja, która mu towarzyszy. Wtedy seks tylko uzupełnia taniec miłości, lecz nigdy nie jest istotą sprawy.

– Mówisz o miłości jak profesjonalistka.

Maria postanowiła mówić, bo była to jej obrona, sposób, by mu się oddać, nie zobowiązując się do niczego.

– Człowiek zakochany uprawia miłość bez przerwy, nawet wtedy, gdy tego nie robi. To nie ma nic wspólnego z jedenastoma minutami.

– Co?

– Kocham cię.

– Ja też cię kocham.

– Przepraszam. Nie wiem, co mówię.

– Ja też nie wiem.

Wstała, pocałowała go i wyszła.

Pamiętnik Marii z następnego dnia rano:

Wczoraj wieczorem, gdy Ralf Hart patrzył na mnie, uchylił drzwi niczym złodziej. Ale wychodząc, nic mi nie zabrał. Przeciwnie, pozostawił po sobie zapach róż – to już nie był złodziej, lecz ukochany, który mnie odwiedził.

Każdy człowiek żyje własnym pożądaniem, to część jego bogactwa, i choć to uczucie powinno właściwie oddalać od ukochanej istoty, tak naprawdę przybliża. Moja dusza wybrała uczucie tak potężne, że mogę podzielić się nim z całym światem.

Każdego dnia wybieram, jaka chcę być: praktyczna, skuteczna, profesjonalna w każdym calu. Ale chciałabym móc wybrać pożądanie za towarzysza. Nie z obowiązku ani po to, by osłodzić własną samotność, ale dlatego, że to coś dobrego. Tak, coś bardzo dobrego.

Spośród trzydziestu ośmiu kobiet pracujących w „Copacabanie" jedyną przyjaciółką Marii była Filipinka Nyah. Zazwyczaj kobiety pracowały tu sześć miesięcy, a najwyżej trzy lata, bo wychodziły za mąż, stawały się utrzymankami albo nie przyciągały już uwagi klientów i Milan delikatnie dawał im do zrozumienia, by poszukały sobie pracy gdzie indziej.

Należało więc liczyć się z klientelą koleżanek i pod żadnym pozorem nie uwodzić mężczyzn, którzy przychodzili specjalnie do którejś z nich. Byłoby to nielojalne, a na dodatek mogło okazać się niebezpieczne. Nie dalej jak w ubiegłym tygodniu jedna z Kolumbijek wyciągnęła z torebki brzytwę, przystawiła ją do nosa Serbki i spokojnym głosem ostrzegła, że ją oszpeci, jeżeli będzie nadal przyjmować awanse pewnego dyrektora banku, jej stałego klienta. Serbka broniła się, że ten człowiek jest wolny i skoro ją wybrał, nie mogła mu odmówić.

Tego samego wieczoru ów mężczyzna pojawił się w „Copacabanie". Przywitał się wprawdzie z Kolumbijką, lecz skierował się prosto do stolika, przy którym siedziała ta druga dziewczyna. Zamówili coś, zatańczyli i Serbka mrugnęła do Kolumbijki – Maria uważała, że to przesada – jakby mówiła z satysfakcją: „Widzisz?

Woli mnie!". W tym mrugnięciu kryło się wiele uszczy-pliwości: wybrał mnie, bo jestem ładniejsza od ciebie; bo poszłam z nim w zeszłym tygodniu i spodobało mu się; bo jestem młodsza. Kolumbijka nie odezwała się ani słowem.

Gdy po dwóch godzinach Serbka wróciła, Kolum-bijka usiadła przy jej stoliku, wyciągnęła brzytwę i za-drasnęła jej twarz przy uchu: ani głęboko, ani groźnie, lecz wystarczająco, by pozostawić bliznę, trwałą pa-miątkę tej nocy. Polała się krew, przerażeni klienci w popłochu opuścili lokal.

Kiedy przyjechała policja, Serbka oświadczyła, że skaleczył ją spadający z półki kieliszek (w „Copacaba-nie" nie było półek). Obowiązywała tu cicha zmowa milczenia czy też *omerta*, jak mawiały włoskie prosty-tutki: przy ulicy Berneńskiej wszystko można było ja-koś załatwić, byle bez ingerencji stróżów prawa. Tutaj panowało inne prawo.

152   Policjanci dobrze znali zasady *omerta*. Wiedzieli, że Serbka kłamie, ale dali za wygraną – zbyt drogo kosz-towałoby szwajcarskiego podatnika aresztowanie pro-stytutki, proces, więzienny wikt i opierunek. Milan po-dziękował im za szybką interwencję, bagatelizując sprawę.

Gdy tylko za policjantami zamknęły się drzwi, po-prosił obie dziewczyny, by nigdy już nie wracały do jego baru. W końcu „Copacabana" była lokalem rodzinnym (Maria nie bardzo wiedziała, co to znaczy), a on musi bronić swej reputacji (to intrygowało ją jeszcze bar-dziej). Tu nie mogło być mowy o kłótniach. Poza tym należało trzymać się podstawowej zasady: klient jest tu panem i należy mu się bezwzględny szacunek. Drugą zasadą była absolutna dyskrecja, „niczym w szwajcar-skim banku", jak mawiał. U Milana można było rów-nież ufać klientom, dobieranym równie starannie jak w banku, w zależności od zasobności portfela, przy-kładnego trybu życia i dobrych obyczajów.

Wprawdzie wynikały czasem drobne nieporozumienia, ale nigdy się nie zdarzyło, by klient nie zapłacił za usługę czy był agresywny wobec którejś z dziewczyn. Przez lata, odkąd otworzył „Copacabanę", Milan nauczył się rozpoznawać w okamgnieniu niepożądanych gości. Żadna z pracujących tu kobiet nie wiedziała, jakimi dokładnie kryteriami się kierował, lecz nieraz widziały, jak grzecznie informował mężczyznę w porządnym garniturze i pod krawatem, że lokal jest przepełniony tego wieczoru (choć był pusty) i że będzie przepełniony przez następne wieczory (innymi słowy: nie ma się pan co tu pokazywać). Widziały też mężczyzn ubranych na sportowo, z kilkudniowym zarostem na twarzy, których Milan zapraszał serdecznie na kieliszek szampana. Właściciel „Copacabany" nie oceniał po pozorach i nigdy się nie mylił.

Z dobrej transakcji handlowej każda ze stron powinna być zadowolona. Tutejsi klienci byli w większości żonaci, zajmowali wysokie stanowiska. Niektóre z pracujących tu kobiet również miały mężów i dzieci, chodziły na wywiadówki. Mogły czuć się bezpiecznie, bo gdyby spotkały w szkole jakiegoś ojca, bywalca „Copacabany", milczenie leżało w interesie obojga. Na tym opierała się *omerta*.

Istniało tu swego rodzaju koleżeństwo, ale nie przyjaźń. Nikt nie rozwodził się zbyt długo nad swoim życiem prywatnym. Z paru zdawkowych rozmów Maria mogła wywnioskować, że w jej koleżankach nie ma ani goryczy, ani poczucia winy, ani smutku, jedynie pewien rodzaj rezygnacji, pogodzenia się z losem. Dostrzegła w ich spojrzeniach coś osobliwego, wyzywającego. Miały oczy kobiet dumnych z tego, że odważyły się stawić czoło światu, niezależnych i pewnych siebie. Po tygodniu każda nowo przybyła uważana była za „profesjonalistkę" i miała stać na straży świętej instytucji małżeństwa (prostytutka pod żadnym pozorem nie powinna stanowić zagrożenia dla stabilności rodzinnego stadła), nie umawiać się na randki poza godzinami pracy, wysłuchiwać zwierzeń klientów i nie wygłaszać swojego zdania, jęczeć podczas orgazmu, kłaniać się policjantom na ulicy, mieć ważne pozwolenie na pracę i aktualne wyniki badań lekarskich. No i wreszcie nie stawiać sobie zbyt wielu pytań na temat aspektów moralnych bądź prawnych tej profesji.

Zanim wieczór się rozkręcił, zawsze można było zobaczyć Marię z książką, szybko więc zaczęła uchodzić za intelektualistkę. Na początku dziewczyny były ciekawe, czy czyta romanse, ale gdy okazało się, że zazwyczaj była to nudna ekonomia, psychologia, a ostatnio rolnictwo – dały jej spokój.

Maria miała wielu stałych klientów i przychodziła do „Copacabany" każdego dnia, nawet wtedy, gdy ruch był niewielki, dzięki czemu zdobyła zaufanie Milana i ściągnęła na siebie zazdrość koleżanek. Mówiły między sobą, że jest ambitna, zarozumiała, że chodzi jej tylko o pieniądze. To ostatnie nie do końca mijało się z prawdą, choć nieraz miała ochotę zapytać, czy nie są tu z tych samych pobudek.

Tak czy inaczej plotki nikogo jeszcze nie zabiły – to tylko cena, jaką płaci się za sukces. Lepiej było puszczać je mimo uszu i skupić się na dwóch celach: na powrocie do Brazylii w ustalonym terminie i kupnie farmy.

Jednak jej myśli od rana do wieczora zajmował teraz Ralf Hart. Po raz pierwszy potrafiła się cieszyć miłością, choć zarazem obawiała się, że ją utraci. Ale właściwie cóż miała do stracenia, skoro o nic nie prosiła w zamian? Przypomniała sobie, jak jej serce zabiło szybciej, gdy Milan dał do zrozumienia, że malarz jest – lub był – „specjalnym klientem". Co to znaczyło? Czuła się zdradzona, zazdrosna.

Nawet jeżeli życie ją nauczyło, że nikt nikogo nie może mieć na własność – a ten, kto tak uważa, oszukuje sam siebie – i tak nie potrafiła zapanować nad zazdrością. Na temat zazdrości można snuć długie, mądre wywody albo uznać ją za oznakę słabości, ale chyba nigdy nie uda się człowiekowi zazdrości poskromić. Najsilniejsza jest taka miłość, która nie walczy ze swoją słabością. Tak czy inaczej, jeżeli to prawdziwa miłość (a nie tylko sposób, by się rozerwać, oszukać, zabić czas, który w tym mieście dłuży się niemiłosiernie), to wcześniej czy później poczucie wolności weźmie górę nad zazdrością i męczarniami, jakie ze sobą niesie. Każdy, kto uprawia sport, wie, że dla osiągnięcia dobrych wyników trzeba pogodzić się z codzienną dawką bólu. Na początku cierpienie zniechęca, ale z czasem okazuje się, że to tylko pewien etap na drodze do dobrego samopoczucia, aż w końcu staje się oczywiste, że bez bólu nie sposób nic osiągnąć.

Niebezpieczne jest natomiast nastawić się na ten ból, w kółko o nim myśleć – ale tę pułapkę, dzięki Bogu, udało się Marii ominąć.

A jednak przyłapywała się czasem na tym, że niepokoi się o Ralfa, dlaczego się nie pojawia, czy po tej historii z dworcem i tłumionym pożądaniem uznał, że jest głupia, czy może wystraszył się i uciekł, bo wyznała mu miłość. Nie chcąc, by to piękne uczucie przerodziło się w cierpienie, znalazła pewną metodę: ilekroć przychodziło jej na myśl jakieś miłe wspomnienie o Ralfie – ogień w kominku, pomysł, który chciałaby z nim przedyskutować, lub po prostu nieodparta chęć, by znów go zobaczyć – przerywała to, co akurat robiła, uśmiechała się do niebios i dziękowała, że żyje i że niczego nie oczekuje od ukochanego mężczyzny.

I przeciwnie, gdy jej serce zaczynało uskarżać się z tęsknoty lub zadręczać głupstwami, jakie popełniła, gdy byli razem, mówiła sobie: „Aha! Więc to o tym zachciewa ci się rozmyślać? Dobrze, rób, co chcesz, ja zajmę się czymś innym!". Jeśli była akurat w domu, zabierała się do lektury książki, na ulicy natomiast skupiała całą swoją uwagę na tym, co ją otaczało – na barwach, twarzach ludzi, a zwłaszcza na dźwiękach: na odgłosach kroków, warkocie samochodów, skrawkach rozmów. I złe myśli w końcu się rozpraszały.

Jedną z owych „złych myśli" był niepokój, że już nigdy więcej go nie zobaczy. Jednak siłą woli i cierpliwością udało jej się przekształcić te rozterki w „myśl pozytywną": po powrocie do Brazylii Genewa będzie miała dla niej ludzkie oblicze, twarz mężczyzny o niemodnie długich włosach, dziecinnym uśmiechu i dźwięcznym głosie. A gdy po latach ktoś ją zapyta, jaka jest ta Genewa, będzie mogła powiedzieć:

„Piękna, zdolna kochać i być kochaną".

Pamiętnik Marii, pisany w dniu, gdy w „Copacabanie" był mały ruch:

Obcując na co dzień z ludźmi, którzy tu przychodzą, coraz częściej dochodzę do wniosku, że seks, podobnie jak narkotyki, jest ucieczką od rzeczywistości, pozwala zapomnieć o kłopotach, odprężyć się. I jak wszystkie używki szkodzi i wyniszcza.

Jeżeli ktoś ma ochotę się odurzać za pomocą seksu czy jakiejkolwiek innej substancji, to jego sprawa. Skutki będą mniej czy bardziej opłakane, w zależności od dokonanego wyboru. Ale gdy mowa o postępie w życiu, istnieje wielka przepaść pomiędzy „dość dobrym", a „lepszym".

W przeciwieństwie do tego, co sądzą moi klienci, seksu nie uprawia się byle kiedy. W każdym z nas istnieje wewnętrzny zegar i aby dwie osoby mogły się kochać, trzeba, by w danej chwili oba zegary pokazywały tę samą godzinę, a to nie zdarza się codziennie. Ten, kto kocha, nie musi uprawiać seksu, by poczuć się dobrze. Dwie osoby, które się kochają i są ze sobą, muszą cierpliwie i wytrwale ustawiać wskazówki swoich zegarów za pomocą gier miłosnych i „przedstawień te-

atralnych", i zrozumieć, że uprawianie miłości to coś więcej niż spotkanie dwojga ludzi. To „uścisk" płci.

Człowiek, który żyje intensywnie, cały czas doznaje rozkoszy. Jeżeli uprawia seks, to dlatego, że jest rozkoszą przesycony, jego kielich aż się przelewa, jest to nieuniknione, człowiek taki odpowiada na wyzwanie życia i w tym momencie – tylko w tym momencie – traci kontrolę nad sobą.

PS Przeczytałam właśnie, co napisałam. Na Boga, ależ staję się uduchowiona!

Niedługo po napisaniu tych słów, gdy Maria siedziała przy swoim stoliku w „Copacabanie" gotowa spędzić kolejny wieczór w charakterze Wyrozumiałej Matki lub Niewinnej Dziewczynki, do lokalu wszedł Terence. Milan był zadowolony. Najwyraźniej się na niej nie zawiódł. Przypomniała sobie słowa Terence'a: „Ból, cierpienie i dużo rozkoszy".

– Przyjechałem z Londynu specjalnie, by się z tobą spotkać. Ostatnio dużo o tobie myślałem.

Uśmiechnęła się niezbyt zachęcająco. I tym razem nie przestrzegał rytuału: nie zaprosił jej na drinka ani do tańca, po prostu się przysiadł.

– Gdy uczeń osiąga coś dzięki nauczycielowi, nauczyciel również czegoś się uczy – powiedział.

– Wiem, o czym mówisz – odrzekła Maria, myśląc o Ralfie. Była zła na siebie, że nie może o nim zapomnieć. Szczególnie teraz, gdy naprzeciw niej siedział klient, któremu należał się szacunek i powinna zrobić wszystko, by go zadowolić.

– Czy masz ochotę na ciąg dalszy? – zapytał.

Tysiąc franków. Ukryty, nieznany świat. Szef, który jej się przygląda zza baru. Pewność, że może się wycofać w każdej chwili. Ustalony termin powrotu do Brazylii. Inny mężczyzna, który się nie pojawia.

– Śpieszy ci się?

Nie śpieszyło mu się. Ale o co jej chodzi?

– Chcę wypić drinka, zatańczyć, chcę szacunku dla mojego zawodu.

Zawahał się, ale dominacja i uległość stanowiły część tego spektaklu. Zapłacił za drinka, zatańczył, przywołał taksówkę, wręczył jej pieniądze, kiedy jechali przez miasto. Poszli do tego samego hotelu. Terence pozdrowił włoskiego portiera, jak tamtego wieczoru, gdy się poznali, i wynajął ten sam pokój z widokiem na rzekę.

Potarł zapałkę i dopiero wtedy Maria zauważyła, że w pokoju ustawiono mnóstwo świec. Zaczął je kolejno zapalać.

– Co chcesz wiedzieć? Dlaczego jestem taki? Dlaczego – chyba się nie mylę – tak bardzo spodobał ci się nasz wspólny wieczór? Chcesz wiedzieć, dlaczego ty też taka jesteś?

– W Brazylii mówią, że nie wolno zapalać więcej niż trzech świec tą samą zapałką. A ty tego nie przestrzegasz.

Zignorował tę uwagę.

– Jesteś taka jak ja. Nie przychodzisz tu dla tysiąca franków, lecz z poczucia winy, uzależnienia, kompleksów i braku wiary w siebie. Ani to dobre, ani złe, taka jest już ludzka natura.

Włączył telewizor i zmieniał kanały, aż znalazł stację, gdzie w wiadomościach nadawano akurat relację o ucieczce uchodźców z jakiegoś ogarniętego wojną kraju.

– Popatrz na to. Widziałaś programy, gdzie ludzie na oczach milionów widzów opowiadają o swoich osobistych tragediach? Musiałaś czytać sensacyjne nagłówki gazet. Wszyscy czerpiemy swoistą przyjemność z cudzego nieszczęścia, z cudzej rozpaczy. To sadyzm, gdy wczuwamy się w rolę oprawców. I masochizm, gdy identyfikujemy się z ofiarami przemocy.

Nalał dwa kieliszki szampana, wyłączył telewizor i spokojnie kończył zapalać świeczki, nic sobie nie robiąc z przesądów Marii.

– Powtarzam, taka jest ludzka natura. Odkąd zostaliśmy wypędzeni z raju, albo sami cierpimy, albo zadajemy cierpienie innym i przyglądamy się ich udrękom. Nic na to nie możemy poradzić.

W oddali zagrzmiało, nadciągała burza.

– Ale ja tak nie potrafię – powiedziała Maria. – Wydaje mi się to śmieszne, że ty jesteś moim panem, a ja twoją niewolnicą. Nie potrzeba nam żadnego „teatru", by mieć do czynienia z bólem: życie i tak nie szczędzi nam cierpień.

Wszystkie świeczki były już zapalone. Terence wziął jedną z nich, ustawił pośrodku stołu, znów nalał do kieliszków i podał kawior. Maria wypiła duszkiem szampana, starając się zapanować nad własnym strachem, myśląc o tysiącu franków w torebce i o nieznajomym, który fascynował ją i onieśmielał. Wiedziała, że żaden wieczór z tym mężczyzną w niczym nie będzie przypominał poprzedniego. Czuła się wobec niego bezbronna.

– Usiądź!

Jego ton był zarazem łagodny i władczy. Maria usiadła posłusznie, a fala ciepła przebiegła przez jej ciało. Usłyszała rozkaz i poczuła się trochę pewniej.

„Teatr. Muszę wejść w swoją rolę" – pomyślała.

Dobrze było poddawać się rozkazom. Nie musiała myśleć, wystarczyło słuchać. Poprosiła jeszcze o szampana, ale przyniósł jej wódki, bo szybciej uderzała do głowy, skuteczniej uwalniała od zahamowań, lepiej pasowała do kawioru.

Otworzył butelkę. Maria piła właściwie sama. Zza okna dobiegały odgłosy gwałtownej burzy. Współgrały z tym, co się działo w pokoju, jakby energie nieba i ziemi równie brutalnie dążyły do zjednoczenia. Terence wyjął z szafy małą walizeczkę i położył ją na łóżku.

– Nie ruszaj się!

Otworzył walizkę i wyjął dwie pary kajdanek z chromowanej stali.

– Rozchyl nogi!

Poddała się, bezsilna z własnej woli, uległa, bo tego chciała. Zobaczyła, jak zagląda jej pod sukienkę. Mógł zobaczyć jej czarne majtki, podwiązki, uda, wyobrażać sobie jej łono.

– A teraz wstań!

Zerwała się z krzesła. Z trudem utrzymała równowagę – okazało się, że jest bardziej pijana, niż sądziła.

– Nie patrz na mnie! Opuść głowę, naucz się okazywać szacunek swemu panu!

Kątem oka spostrzegła, że wyciągnął z walizeczki cieniutki pejcz i strzelił nim w powietrzu.

– Pij. Trzymaj głowę nisko, ale pij.

Wypiła jeszcze jeden, dwa, trzy kieliszki wódki. To już nie był teatr, to była rzeczywistość. Czuła się jak przedmiot i jakkolwiek mogło się to wydawać nieprawdopodobne, ta uległość dawała jej poczucie całkowitej wolności. Nie była już panią sytuacji, tą, która radzi, pociesza, wysłuchuje zwierzeń, podnieca. Była małą dziewczynką z głębokiej brazylijskiej prowincji, dziewczynką uległą wobec potężnej władzy mężczyzny.

– Rozbierz się.

Był to rozkaz suchy, bez cienia zmysłowości – a jednak niesamowicie erotyczny. Z opuszczoną głową Maria potulnie rozpięła sukienkę i zsunęła ją na podłogę.

– Wiesz, że nie zachowujesz się przyzwoicie?

Pejcz znów świsnął w powietrzu.

– Zasługujesz na surową karę. Jak śmiesz mi się przeciwstawiać?! Powinnaś paść przede mną na kolana!

Miała już uklęknąć, ale pejcz jej w tym przeszkodził. Pierwsze uderzenie zapiekło, lecz chyba nie pozostawiło śladu.

– Nie kazałem ci klękać! A może się mylę?

– Nie.

Znów smagnięcie pejcza na pośladku.

– Powiedz: „Nie, mój panie".

Znów uderzenie pejcza. Znów zapiekło. Przez ułamek sekundy przebiegło jej przez myśl, by natychmiast przerwać tę farsę. Ale mogła przecież pójść na całość, nawet nie dla pieniędzy, tylko z powodów, o których Terence mówił za pierwszym razem: człowiek poznaje siebie, dopiero gdy pozna własne granice.

A to było coś nowego, to była przygoda. Później zastanowi się, czy będzie miała ochotę to ciągnąć dalej. Przestała być dziewczyną, która ma w życiu cel, która sprzedaje swoje ciało, która poznała mężczyznę opowiadającego ciekawe historie przy kominku. Teraz była nikim, a będąc nikim, była tym, kim zawsze chciała być.

– Rozbierz się i pochodź nago, żebym mógł ci się przyjrzeć.

Usłuchała pokornie, ze spuszczoną głową, bez słowa protestu. Obserwujący ją mężczyzna był całkowicie ubrany, niewzruszony, to nie był już ten sam człowiek, którego spotkała w nocnym lokalu – to był Ulisses przybywający z Londynu, Tezeusz zstępujący z niebios, zdobywca, który zawładnął najbezpieczniejszym miastem świata i najbardziej zamkniętym sercem na ziemi. Zdjęła majtki, stanik. Poczuła się zarazem bezbronna i bezpieczna. Pejcz świsnął w powietrzu, ale nie sięgnął jej ciała.

– Głowę masz mieć opuszczoną! Musisz być pokorna, posłuszna każdej mojej zachciance, zrozumiano?

– Tak, panie.

Chwycił ją za nadgarstki i szybko założył kajdanki.

– Teraz dopiero zobaczysz, co cię czeka! Wreszcie nauczysz się posłuszeństwa.

Otwartą dłonią uderzył ją w pośladek. Maria krzyknęła, tym razem zabolało.

– Aha! Stawiasz się? No to zaraz ci pokażę, co naprawdę jest dobre.

Nim zdążyła wydusić z siebie cokolwiek, skórzany knebel zamknął jej usta. Dałaby wprawdzie radę wy-

163

mówić słowo „żółty" lub „czerwony", jednak Terence mógł z nią teraz robić, co mu się podoba, a ona nie miała szans, by mu się wymknąć. Była naga, zakneblowana, w kajdankach, odurzona wódką.

Znów uderzenie w pośladki.

– Przejdź na drugi koniec pokoju!

Maria poszła posłuszna rozkazom: „Stój! Skręć w prawo! Usiądź! Rozchyl nogi!". Od czasu do czasu, bez powodu, bił ją. Czuła ból i upokorzenie – o wiele potężniejsze i dotkliwsze niż ból. Miała wrażenie, że znalazła się w innym świecie, w świecie, w którym nie ma nic. Było to doznanie niemal duchowe: unicestwić się, służyć, zatracić świadomość własnego ja, swych pragnień, własnej woli. Podnieciło ją to, jej łono było wilgotne, a ona nie rozumiała, co się dzieje.

– Na kolana!

Na znak posłuszeństwa i pokory cały czas miała spuszczoną głowę, nie mogła więc dokładnie widzieć,

co się działo. Dostrzegła jednak, że w innym świecie, na innej planecie mężczyzna dyszy ciężko, wyczerpany strzelaniem z pejcza i wymierzaniem jej ciosów, podczas gdy ona czuje się coraz silniejsza i coraz bardziej pełna energii. Wyzbyła się już resztek wstydu, bez cienia skrępowania demonstrowała, że jej się to podoba; zaczęła jęczeć, błagała, by dotknął jej łona. Powalił ją na łóżko. Gwałtownie – lecz z gwałtownością kontrolowaną – rozchylił jej nogi i przywiązał do obu stron łóżka. Ręce miała spięte kajdankami na plecach, nogi rozłożone, knebel na ustach. Kiedy w nią wejdzie? Czy nie widzi, że jest już gotowa, chce mu służyć, jest jego niewolnicą, jego własnością, że zrobi wszystko, czego tylko zażąda?

– Chcesz, bym dał ci rozkosz?

Trzonkiem pejcza zaczął przyjemnie drażnić jej łono. Pocierał nim z góry na dół, a w chwili, gdy dotknął jej łechtaczki, całkiem się zatraciła. Nie wiedziała, jak długo to trwało, ale nagle miała orgazm, orgazm, do którego dziesiątki, setki mężczyzn od tak wielu miesięcy nie potrafiło jej doprowadzić. Eksplozja świateł. Maria poczuła, że zapada się w czarną otchłań w samej głębi duszy, gdzie ból i strach mieszają się z absolutną rozkoszą, zrywając wszystkie tamy i przekraczając wszystkie granice. Jęknęła, wydała okrzyk stłumiony przez knebel, prężyła się na łóżku, poczuła, że kajdanki wrzynają się w jej nadgarstki, skórzane rzemienie ranią kostki, krzyczała jak nigdy dotąd, bo miała zakneblowane usta i nikt nie mógł jej usłyszeć. Tak właśnie wyglądał ból i rozkosz – trzonek pejcza, który coraz silniej uciskał łechtaczkę, a jej usta, łono, oczy, cała skóra, każda komórka jej ciała szczytowały.

Wpadła w trans, z którego teraz powoli się wynurzała. Włosy miała sklejone potem. Terence delikatnie zdjął jej kajdanki i odwiązał skórzane rzemyki krępujące stopy.

Leżała bez ruchu, zmieszana, niezdolna spojrzeć w oczy temu mężczyźnie. Wstydziła się siebie, swych jęków, krzyków, swego orgazmu. Gładził jej włosy i także dyszał ciężko – ale rozkosz była wyłącznie jej udziałem, on nie doznał ekstazy.

Nagim ciałem przylgnęła do kompletnie ubranego mężczyzny. Nie wiedziała, co ma powiedzieć, co robić, ale czuła się bezpieczna, otoczona opieką: nakłonił ją, by odzyskała część samej siebie, część, której nie znała. Był jej panem i opiekunem.

Wybuchnęła płaczem. Terence cierpliwie czekał, aż się uspokoi.

– Coś ty ze mną zrobił? – spytała przez łzy.

– Tylko to, co chciałaś, bym zrobił.

Spojrzała na niego i poczuła, że rozpaczliwie go potrzebuje.

– Nie zmuszałem cię, nie przyparłem do muru, nie usłyszałem z twoich ust słowa protestu. Moją jedyną władzą była ta, którą sama mi dałaś. Z mojej strony nie było żadnego nacisku, żadnego szantażu. Nawet jeżeli byłaś niewolnicą, a ja panem, jedyne, na co sobie mogłem pozwolić, to pchnąć cię ku twej własnej wolności.

Kajdanki. Rzemienie krępujące nogi. Knebel. Upokorzenie silniejsze i dotkliwsze niż ból. A jednak miał rację. Czuła się całkowicie wolna, naładowana energią, pełna wigoru i zdumiona: ona była pełna światła, on natomiast wycieńczony i słaby.

– Możesz odejść, kiedy zechcesz – powiedział.

– Nie chcę odchodzić, chcę zrozumieć, co się stało. Podniosła się, piękna, naga, pewna siebie. Przyniosła dwa kieliszki wina. Zapaliła dwa papierosy i jeden z nich mu podała. Role się odwróciły, teraz ona była panią usługującą niewolnikowi, nagradzała go za doznaną rozkosz.

– Ubiorę się, potem pójdę. Ale chciałabym chwilę porozmawiać.

– Nie ma o czym mówić. Tego właśnie chciałem, a ty byłaś cudowna. Jestem zmęczony, jutro skoro świt muszę wracać do Londynu.

Wyciągnął się na łóżku i zamknął oczy. Maria nie wiedziała, czy śpi, czy tylko udaje, ale niewiele ją to obchodziło. Z przyjemnością wypaliła papierosa, powoli wypiła kieliszek wina, stojąc przy oknie. Chciała, by ją ktoś taką zobaczył – nagą, z poczuciem dosytu, zaspokojoną.

Ubrała się i wyszła bez pożegnania. Gdy zamykała za sobą drzwi, nie była pewna, czy ma ochotę jeszcze tu wrócić.

Terence usłyszał odgłos zamykanych drzwi. Poczekał chwilę i gdy był już pewien, że Maria nie wróci, wstał i zapalił papierosa.

„Ta dziewczyna ma klasę" – pomyślał. Wspaniale zniosła pejcz, klasyczną torturę, najstarszą i najlżejszą. Przypomniał sobie ten pierwszy raz, gdy sam doznał owej tajemniczej więzi łączącej dwie istoty spragnione bliskości, którą udało im się osiągnąć dopiero poprzez wzajemne zadawanie sobie bólu. Miliony par na świecie, nie zdając sobie nawet z tego sprawy, każdego dnia uprawiały sadomasochizm. Ludzie szli do pracy, wracali do domu, uskarżali się na swój los, mąż poniżał żonę lub odwrotnie, oboje czuli się podle, lecz byli głęboko przywiązani do swojego nieszczęścia, jakby nie wiedzieli, że wystarczyłby jeden gest, jedno słowo: „dosyć!", by skończyć z tym raz na zawsze. Terence przeżył to ze swoją żoną, znaną angielską piosenkarką. Dręczony zazdrością, robił jej w kółko sceny, w dzień faszerował się środkami uspokajającymi, a nocami wypijał morze alkoholu. Kochała go i nie rozumiała jego zachowania. On kochał ją i także nie rozumiał, czemu to robi. Tak jakby zadawanie sobie bólu było konieczne, niezbędne, by istnieć.

Pewnego dnia jeden z muzyków – Terence uważał go za dziwaka, gdyż wydawał się zbyt normalny w środowisku artystycznej bohemy – zostawił w studiu nagrań książkę *Wenus w futrze* Leopolda von Sacher-Masocha. Terence otworzył ją i w miarę lektury coraz lepiej rozumiał siebie i swoje postępowanie.

Piękna kobieta rozebrała się i wzięła pejcz z krótkim trzonkiem. „Prosił pan o to – powiedziała. – A więc wychłoszczę pana". „Niech pani to zrobi – wyszeptał jej kochanek. – Błagam panią!".

Trwała właśnie próba i żona Terence'a znajdowała się po drugiej stronie przeszklonej ściany studia nagraniowego. W pewnej chwili wyłączyła mikrofon, by nikt nie mógł słyszeć, co się dzieje za szybą. Terence pomyślał z rozpaczą, że właśnie umawia się na randkę z pianistą. Zrozumiał: chciała doprowadzić go do szaleństwa, a on przyzwyczaił się już do cierpienia i nie mógł się bez niego obyć.

Wychłoszczę pana – mówiła rozebrana kobieta w książce, którą trzymał w dłoniach.

Niech pani to zrobi, błagam panią!

Był przystojny, liczono się z nim w wytwórni płytowej. Czy naprawdę musiał prowadzić takie życie? Lubił to. Zasługiwał na wielkie cierpienie, ponieważ los okazał się dla niego zbyt łaskawy, nie był godzien tylu dobrodziejstw – pieniędzy, sławy, szacunku. Jego kariera osiągnęła punkt, w którym człowiek uzależnia się od sukcesu, co niepokoiło go, ponieważ niejednokrotnie widział ludzi, spadających z piedestału.

Przeczytał książkę od deski do deski. Zaczął studiować wszystko, co wpadło mu w ręce na temat tajemniczego związku pomiędzy bólem i rozkoszą. Pewnego dnia jego żona znalazła kasety wideo i książki, które przed nią ukrywał. Zapytała, co się dzieje, czy jest chory. Terence zapewniał ją, że wszystko z nim w porządku, po prostu szuka inspiracji do projektu nowej płyty.

168

I rzucił jakby od niechcenia:

– Może i my powinniśmy spróbować.

Spróbowali. Na początku bardzo nieśmiało, sięgając jedynie po podręczniki dostępne w sex-shopach. Z czasem rozwinęli nowe techniki, przekraczali granice, podejmowali ryzyko – ale czuli, że ich związek się umacnia. Stali się wspólnikami tej samej zakazanej, powszechnie potępianej tajemnicy.

Ich doświadczenie przerodziło się w sztukę. Wylansowali nową modę na stroje ze skóry i metalowe nity. Ona w wysokich botkach i czarnych podwiązkach wchodziła na scenę z pejczem w ręku i doprowadzała publiczność do szału. Jej nowa płyta zajęła pierwsze miejsce na liście przebojów w Anglii, co pociągnęło za sobą spektakularny sukces w całej Europie. Terence był zaskoczony, że młoda publiczność tak łatwo przejęła styl zainspirowany jego osobistymi poszukiwaniami. Tłumaczył to sobie tym, że stłumiona agresja młodych ludzi znalazła ujście w tak żywiołowej, acz nieszkodliwej postaci.

Pejcz, który stał się symbolem kultowej grupy muzycznej, znalazł się na podkoszulkach, tatuażach, nalepkach, pocztówkach... A Terence postanowił dotrzeć do źródła tego sukcesu, by lepiej poznać samego siebie. Wbrew temu, co powiedział prostytutce, nie miało to nic wspólnego z pokutnikami pragnącymi oddalić widmo dżumy. Od zarania dziejów ludzie wiedzieli, że ból, raz obłaskawiony, jest przepustką do wolności.

Już w Egipcie, Rzymie i Persji wyobrażano sobie, że człowiek, który sam siebie składa w ofierze, może odwrócić złe fatum od całego narodu. W Chinach, gdy dochodziło do klęski żywiołowej, poświęcano cesarza, gdyż był uosobieniem boga na ziemi. W starożytnej Grecji najlepszych wojowników Sparty biczowano raz do roku przez cały dzień w hołdzie bogini Artemidzie, a tłum gapiów głośnymi okrzykami dopingował ich, by z godnością znosili ból, który hartował ich na przyszłe wojny. Pod wieczór kapłani oglądali rany na ich plecach i przepowiadali z nich przyszłość miasta.

W okolicach Aleksandrii Ojcowie Pustyni – stare bractwo zakonne z IV wieku naszej ery – samobiczowali się, by odegnać od siebie demony albo dowieść wyższości ducha nad ciałem. Historie świętych obfitują w podobne podania – święta Róża biegała boso po ogrodzie pełnym kolczastych krzewów różanych, święty Dominik Opancerzony chłostał się każdego wieczoru przed zaśnięciem, męczennicy wydawali się dobrowolnie na powolną śmierć na krzyżu lub na pożarcie dzikim zwierzętom. Wszyscy twierdzili zgodnie, że ból, gdy już zostanie pokonany, prowadzi do mistycznej ekstazy.

Ostatnie badania, choć niepotwierdzone, ujawniły, iż pewne odmiany mikroskopijnych grzybów o właściwościach halucynogennych mogły rozwijać się na ranach, wywołując wizje ponoć tak przyjemne, że praktyki te szybko opuściły mury klasztorów i rozprzestrzeniły się po całym świecie.

W 1718 roku ukazał się *Traktat o samobiczowaniu*, który instruował, jak poprzez ból dotrzeć do rozkoszy. Pod koniec XVIII wieku w całej Europie istniały liczne ośrodki, gdzie ludzie szukali ekstazy w cierpieniu fizycznym. Według niektórych źródeł królowie i księżniczki kazali służącym chłostać się, zanim odkryli, że przyjemność można czerpać nie tylko z przyjmowania, lecz również z zadawania bólu – choć ten drugi sposób wymaga więcej wysiłku i daje mniej zadowolenia.

Paląc papierosa, Terence odczuwał swego rodzaju satysfakcję, że większość ludzkości nie byłaby w stanie pojąć jego myśli. Należał do elitarnego, zamkniętego kręgu, do którego wstęp mieli tylko wybrańcy. Przypomniał sobie, w jaki sposób, przynajmniej w jego przypadku, małżeńska udręka przerodziła się w euforię. Jego żona wiedziała, po co jeździ do Genewy, i nie robiła mu wyrzutów – wręcz przeciwnie, uważała, że jej mężowi należała się nagroda po tygodniu ciężkiej pracy.

Dziewczyna, która wyszła z pokoju, wszystko zrozumiała. Ich dusze były pokrewne, czuł to, lecz nie miał zamiaru się w niej zakochać – kochał żonę. Ale przyjemnie było mieć poczucie wolności i niewinne mrzonki o nowym związku.

Najtrudniejsza próba była przed nim: przeistoczyć Marię w Wenus w futrze, władczynię, kochankę potrafiącą upokorzyć go i ukarać bez cienia litości. Jeżeli dziewczyna przejdzie zwycięsko tę próbę, gotów będzie otworzyć przed nią serce.

Pamiętnik Marii, upojonej jeszcze wódką i rozkoszą:

Kiedy nie miałam już nic do stracenia, dostałam wszystko. Kiedy o sobie zapomniałam, odnalazłam samą siebie. Kiedy poznałam upokorzenie i całkowitą uległość, stałam się wolna. Nie wiem, może jestem obłąkana, może wszystko to jest snem, a może zdarza się to tylko raz. Wiem, że mogę bez tego żyć, ale chciałabym spotkać się z nim znów, powtórzyć doświadczenie, posunąć się jeszcze dalej.

Trochę obawiałam się bólu, a jednak okazał się mniej dotkliwy od upokorzenia – był to jedynie pretekst. Gdy przeżyłam orgazm, pierwszy od miesięcy, po tylu mężczyznach i po tym, co robili z moim ciałem, poczułam się – czyż to w ogóle możliwe? – bliższa Bogu. Przypomniałam sobie, co Terence mówił o czasach dżumy. Biczownicy składający swój ból na ołtarzu ludzkości znajdowali w nim upodobanie.

Nie miałam zamiaru zbawiać ludzkości, jego ani siebie. Ja po prostu tam byłam.

Sztuka seksu to zachowanie.

To już nie był teatr: naprawdę byli na dworcu, na prośbę Marii – lubiła pizzę, którą podawano tylko tutaj. Mogła pozwolić sobie na ten drobny kaprys. Ralf powinien zjawić się o jeden dzień wcześniej, gdy była jeszcze kobietą, która marzyła o miłości, pożądaniu i ogniu w kominku. Lecz życie chciało inaczej. Teraz nie musiała już skupiać się na chwili obecnej, z tego prostego powodu, że o Ralfie nie pomyślała ani razu i pochłonęły ją sprawy o wiele ciekawsze.

Co począć z tym mężczyzną jedzącym obok niej pizzę, która najwyraźniej wcale mu nie smakuje? Gdy wszedł do „Copacabany" i zaproponował jej drinka, chciała mu powiedzieć, że to koniec, że może pójść z jakąś inną dziewczyną. Z drugiej strony czuła ogromną potrzebę porozmawiania z kimś o wydarzeniach poprzedniego wieczoru.

Zagadywała koleżanki, które też miały styczność ze „specjalnymi klientami", ale żadna nie kwapiła się do rozmowy. Spośród znajomych mężczyzn Ralf Hart był chyba jedynym, który mógł ją zrozumieć, skoro zdaniem Milana i on zaliczał się do grona „klientów specjalnych". Jednak on patrzył na nią oczami pełnymi miłości, co bardzo utrudniało sprawę. Lepiej było dać sobie z tym spokój.

– Co wiesz o bólu, upokorzeniu i wielkiej rozkoszy? – spytała, gdy ciekawość wzięła jednak górę.

Ralf przestał jeść.

– Wiem wszystko. I nie interesuje mnie to.

Odpowiedź padła błyskawicznie. Maria była zaskoczona. To znaczy, że wszyscy o tym wiedzą oprócz niej? Co to za świat, mój Boże!

– Poznałem swoje granice i mroczne strony, stoczyłem walkę z własnymi demonami – ciągnął Ralf. – Spróbowałem chyba wszystkiego, nie tylko w tej dziedzinie, lecz również w paru innych. A jednak gdy widzieliśmy się ostatnio, dotarłem do swoich granic poprzez pożądanie, a nie ból. Przejrzałem siebie na wylot, a jednak wciąż wierzę, że w tym życiu spotka mnie jeszcze wiele, bardzo wiele dobrych rzeczy.

Chciał dodać: „Ty jesteś jedną z nich i zaklinam cię, nie idź tą drogą", ale się na to nie zdobył. Przywołał taksówkę i poprosił kierowcę, by zawiózł ich nad jezioro – spacerowali tu razem w dniu, kiedy się poznali, wieki temu. Maria zdziwiła się, lecz instynkt jej podpowiadał, że ma jeszcze wiele do stracenia, choć wciąż była upojona tym, co stało się ubiegłej nocy.

Wyszła z odrętwienia, dopiero gdy dotarli nad jezioro. Lato już się kończyło, wieczór był chłodny.

– Co my tu robimy? – zapytała, kiedy wysiedli z taksówki. – Wiatr taki zimny, nabawię się kataru.

– Wiele rozmyślałem nad twoimi słowami: cierpienie i rozkosz. Zdejmij buty.

Przypomniała sobie jednego ze swoich klientów, który pewnego razu poprosił o to samo i podniecił go widok jej stóp.

– Przeziębię się.

– Po prostu rób, co ci mówię – powiedział z naciskiem. – Nic ci nie będzie, nie zostaniemy tu długo. Zaufaj mi tak, jak ja ufam tobie.

Maria zrozumiała, że chciał jej pomóc. Pewnie pragnął jej oszczędzić smaku goryczy, który sam dobrze znał. Ale ona nie chciała niczyjej pomocy. Była zadowolona ze swojej nowej rzeczywistości, gdzie cierpienie nie stanowiło problemu. Pomyślała jednak o Brazylii, o tym, że nie znajdzie tam nikogo, kto zechce dzielić z nią świat tak osobliwy, i zdjęła buty. Brzeg jeziora usiany był ostrymi kamykami, które natychmiast podarły jej pończochy. Nieważne, kupi sobie nowe.

– Zdejmij żakiet.

Mogła odmówić, ale poprzedni dzień nauczył ją pokornie godzić się na wszystko. Zdjęła żakiet. Z początku tego nie czuła, ale powoli chłód stał się coraz bardziej dokuczliwy.

– Idźmy przed siebie. I rozmawiajmy.

– Ależ to niemożliwe! Tutaj jest pełno piekielnie ostrych kamieni!

– No właśnie. Chcę, żebyś czuła te kamienie pod stopami, chcę, by sprawiały ci ból, raniły cię. Zapewne znasz już cierpienie połączone z rozkoszą. I ja je poznałem, dlatego pragnę to wykorzenić z twej duszy.

„Niepotrzebnie, mnie się to podoba" – miała na końcu języka. Jednak zaczęła powoli iść. Była zziębnięta, a kamienie raniły jej bose stopy.

– Jedna z moich wystaw zawiodła mnie do Japonii akurat wtedy, kiedy byłem całkowicie pochłonięty tym, co nazywasz bólem, upokorzeniem i wielką rozkoszą. Myślałem wówczas, że nie ma już dla mnie odwrotu, że mogę tylko pogrążać się coraz bardziej i jedyne na co mam ochotę, to przyjmować i zadawać ból.

Przychodzimy na świat z poczuciem winy, wpadamy w panikę, gdy szczęście puka do naszych drzwi, i łudzimy się, że naszą śmiercią damy komuś nauczkę, bo wiecznie czujemy się bezsilni, podle traktowani, nieszczęśliwi. Odkupić własne grzechy i ukarać grzeszników, czyż to nie cudowne? Tak, to fantastyczne.

Maria szła przed siebie. Ból i chłód odwracały jej uwagę od słów Ralfa.

– Zauważyłem jakieś ślady na twoich nadgarstkach.

Kajdanki. Włożyła dziś wiele bransoletek, żeby to ukryć, lecz nie umknęły bystremu oku wtajemniczonego znawcy.

– Tak czy owak, jeżeli wszystko, czego doświadczyłaś ostatnio, podoba ci się i chcesz uczynić następny krok, nie mam zamiaru cię od tego odwodzić. Musisz jednak wiedzieć, że nie ma to nic wspólnego z prawdziwym życiem.

– Ten krok?

– Ból i rozkosz. Sadyzm i masochizm. Nazwij to, jak chcesz. Jeżeli jesteś naprawdę przekonana, że to jest twoja droga, będę cierpiał. Zapamiętam na zawsze nasze spotkania, spacer Drogą Świętego Jakuba, światło, które jest w tobie, zachowam pióro i za każdym razem, gdy będę rozpalał ogień w kominku, pomyślę o tobie. Ale nie będę już zabiegał o spotkanie.

Maria wystraszyła się. Trzeba było przestać wreszcie udawać, że wie więcej od niego.

– Nigdy nie poddałam się takiej próbie jak ostatnio... jak wczoraj. Najbardziej przeraża mnie fakt, że na granicy upodlenia mogłam odnaleźć siebie.

Coraz trudniej było jej mówić – dzwoniła zębami, bolały ją stopy.

– Na moją wystawę w regionie Kumano przyszedł drwal – podjął Ralf, jakby jej w ogóle nie słuchał. – Nie podobały mu się moje obrazy, ale potrafił z nich odczytać to, co wtedy przeżywałem i czułem. Następnego dnia odwiedził mnie w hotelu i spytał, czy jestem zadowolony ze swego życia. Jeżeli tak, to powinienem dalej robić to, co lubię. A jeżeli nie, to poprosił, bym spędził z nim kilka dni.

I tak jak ja ciebie, zmusił mnie do chodzenia boso po ostrych kamieniach. Kazał mi znosić straszliwy chłód. Nakłonił, bym spróbował zrozumieć piękno bólu. Tyle że były to cierpienia zadane przez naturę, a nie przez człowieka. To stara japońska praktyka – *Shugen-do*.

Powiedział mi, że jestem osobą, która nie boi się

bólu, i że to bardzo dobrze, bo żeby zapanować nad duszą, trzeba również nauczyć się panować nad ciałem. Ale ja posługiwałem się bólem w błędny sposób, a to było bardzo złe.

Ten prosty, nieokrzesany drwal uważał, że zna mnie lepiej niż ja sam, i to mnie irytowało. A jednocześnie byłem dumny jak paw, że moje obrazy wyrażały dokładnie mój stan ducha.

Maria poczuła, że jakiś ostrzejszy kamień rozciął jej stopę, ale chłód był bardziej dojmujący, przeszywał ją na wskroś, dygotała, coraz trudniej jej było nadążyć za słowami Ralfa. Dlaczego mężczyznom na tym cholernym świecie zależało tylko na tym, by pokazać jej, czym jest ból? Ból sakralny, ból i rozkosz, ból z wyjaśnieniem lub bez, lecz zawsze ból, ból, ból...

Zranioną stopą stanęła na innym kamieniu. Stłumiła okrzyk i poszła dzielnie dalej. Na początku starała się zachować godność, spokój, to, co nazywał jej "światłem". Teraz szła powoli, żołądek podchodził jej do gardła, myśli kłębiły się w głowie. Chciała zatrzymać się – to wszystko nie miało sensu – ale się nie zatrzymała.

Nie zatrzymała się z szacunku dla siebie samej. W końcu ten spacer na bosaka nie będzie trwał wiecznie. Nagle przeszyła ją inna myśl. Co będzie jutro? Na pewno dostanie grypy. I zakażenia od ran na stopach. Z powodu wysokiej gorączki nie będzie mogła pójść do "Copacabany". Pomyślała o klientach, którzy na nią czekali, o Milanie, który liczył na nią, o pieniądzach, których nie zarobi, o swojej przyszłej farmie, o rodzicach, którzy byli z niej dumni... Szybko jednak przestała myśleć o czymkolwiek, była obolała i przemarznięta do szpiku kości. Niech Ralf wreszcie doceni jej wysiłki, powie w końcu "dość" i pozwoli włożyć buty.

On jednak wydawał się obojętny, odległy, jakby był to jedyny sposób, by uwolnić ją od pokus, którym chciała ulec, lecz wówczas już na zawsze nosiłaby na sobie ślady o wiele głębsze niż od kajdanek. Ale ból ją przerażał. Zastanawiała się, czy uda jej się zrobić kolejny krok. A jednak szła dalej.

Ból zawładnął jej duszą, pozbawił sił. Odegrać swoją rolę w pięciogwiazdkowym hotelu, nago, przy wódce z kawiorem, ze świstem pejcza w powietrzu – to jedno, ale stąpać boso po ostrych kamieniach, drżąc z zimna, to całkiem co innego. Czuła się zagubiona, nie zdolna zamienić nawet słowa z Ralfem Hartem. Jej świat sprowadzał się do małych, ostrych kamyków, którymi wysłana była ścieżka pomiędzy drzewami.

Miała już ochotę się poddać, gdy ogarnęło ją dziwne uczucie. Dotarła do granic swych możliwości, poza nimi znalazła pustkę. Zdawało się jej, że unosi się ponad sobą. Nie czuła już bólu. Czy właśnie tego doznawali pokutnicy? Na drugim biegunie bólu odkryła drzwi, które prowadziły na inny poziom świadomości, gdzie była już tylko przyroda – okrutna i nieprzejednana.

Wszystko wokół stało się nierealnym snem: słabo oświetlony park, ciemne jezioro, milczący mężczyzna, jedna czy dwie spacerujące pary, które nawet nie zauważyły, że jest bosa i ledwo trzyma się na nogach. Czy to z powodu przenikliwego chłodu, czy rwącego bólu w stopach, nagle przestała czuć swoje ciało. Teraz nie istniało ani pożądanie, ani strach, tylko niezrozumiały – jak to nazwać? – tajemniczy spokój. Granica bólu nie była granicą jej możliwości, mogła ją przełamać i pójść dalej.

Pomyślała o wszystkich tych, którzy cierpieli w milczeniu nie z własnej winy, podczas gdy ona sama zadawała sobie ból – ale to już nie było ważne, przekroczyła granice możliwości ciała. Teraz pozostawała jej już tylko dusza, „światło" – swoista pustka, którą ktoś pewnego dnia nazwał rajem. Istnieją takie cierpienia, o których można zapomnieć dopiero wtedy, gdy umysł odrywa się od ciała.

Następną sceną, jaką zapamiętała, był Ralf Hart biorący ją w ramiona. Otulił ją swoją marynarką. Zasłabła z zimna, ale to nie było istotne. Była zadowolona, przestała się bać – wygrała. Nie upokorzyła się przed tym mężczyzną.

Minuty przemieniły się w godziny, musiała zasnąć w jego ramionach, bo przebudziła się w jego sypialni. Stały tu jedynie łóżko i telewizor. Nic więcej. Ralf pojawił się z filiżanką gorącej czekolady.

– Doskonale – powiedział – jesteś tam, gdzie chciałaś dojść.

– Nie chcę czekolady, chcę wina. Chcę iść do naszego pokoju, do kominka, do półek z książkami.

Powiedziała: „naszego pokoju". Nie taki był jej zamiar.

Obejrzała swoje stopy. Poza drobnym skaleczeniem były tylko lekko zaczerwienione, ale to zniknie do rana. Z pewnym trudem zeszła po schodach i usiadła na swoim miejscu, na dywanie przy kominku. Czuła się dobrze, jakby jej miejsce było w tym domu.

– Ten japoński drwal powiedział mi, że gdy wykonuje się ćwiczenia fizyczne, gdy od ciała wymaga się dużo, umysł zyskuje osobliwą siłę duchową, zbliżoną do światła, które dojrzałem w tobie. Co czułaś?

– Że ból jest przyjacielem kobiety.

– To niebezpieczne.

– Że ból ma granicę.

– I to jest zbawienne. Nie zapomnij o tym.

Ralf wziął dużą tekę z rysunkami i rozłożył ją na podłodze.

– Oto dzieje prostytucji. Prosiłaś, żebym się dowiedział czegoś na ten temat.

Tak, prosiła o to, ale z nudów, by zwrócić na siebie uwagę. Dziś to już nie miało znaczenia.

– Przez ostatnie dni żeglowałem po nieznanych morzach. Nie wierzyłem, że w ogóle istnieje jakaś historia, myślałem po prostu, że jest to najstarszy zawód świata, jak to się mówi. Ale ta historia istnieje, a właściwie dwie historie.

– Co to za rysunki?

Wydał się trochę zawiedziony, że go nie zrozumiała, lecz szybko wziął się w garść.

– To jest to, co przenosiłem na papier, gdy czytałem, prowadziłem poszukiwania i uczyłem się.

– Porozmawiamy o tym kiedy indziej. Dziś nie chcę zmieniać tematu, muszę zrozumieć ból.

– Wczoraj odkryłaś, że prowadzi cię do rozkoszy. Dzisiaj odnalazłaś w nim spokój. Dlatego proszę, nie przyzwyczajaj się do niego, to potężny, niebezpieczny narkotyk, który szybko uzależnia. Ból istnieje na co dzień, w skrywanym cierpieniu, w naszych wyrzeczeniach, w rezygnacji z marzeń. Ból przeraża, gdy pokazuje swoje prawdziwe oblicze, ale jest kuszący, gdy stroi się w piórka poświęcenia. Albo tchórzostwa. Człowiek próbuje się przed nim bronić, choć zawsze znajduje sposób, by jakoś z nim poflirtować.

– Nie wierzę w to. Nikt nie chce cierpieć.

– Jeżeli uda ci się zrozumieć, że możesz żyć bez cierpienia, to i tak dużo, ale nie wyobrażaj sobie, że inni pójdą tłumnie w twoje ślady. Nikt nie chce cierpieć, a jednak wszyscy lub prawie wszyscy świadomie lub nie poszukują bólu, poświęceń, dzięki czemu mogą czuć się usprawiedliwieni, oczyszczeni, godni szacunku w oczach własnych dzieci, małżonków, sąsiadów, Boga. Zresztą nie roztrząsajmy tego teraz, chcę tylko, żebyś wiedziała, że świat napędza nie pogoń za przyjemno-ściami, lecz rezygnacja ze wszystkiego, co istotne. Czy żołnierz rusza na wojnę, by pokonać wroga? Nie, on idzie zginąć za ojczyznę. Czy żona okazuje mężowi, że jest zadowolona? Nie, ona na każdym kroku stara się mu udowodnić, jak bardzo się dla niego poświęca. Czy mąż idzie do pracy, by rozszerzyć swoje horyzonty, roz-winąć się? Skądże, dla dobra rodziny haruje wylewając wiadra potu. I tak dalej... Dzieci wyrzekają się swoich marzeń, by zadowolić rodziców, rodzice poświęca-ją własne życie, by zrobić przyjemność dzieciom, a ból i cierpienie stają się dowodem tego, co powinno przy-nosić wyłącznie radość: miłości.

– Przestań.

Ralf zamilkł. Postanowił zmienić temat. Wyciągał swoje rysunki jeden po drugim. Na początku wszystkie wydawały się Marii niedorzeczne. Były tam jakieś po-staci, ale także gryzmoły, barwne plamy, geometryczne figury. W miarę opowieści Ralfa powoli zaczynała ro-zumieć. Każdemu jego słowu towarzyszył gest, a każde zdanie wprowadzało ją w świat, do którego – jak dotąd sądziła – wcale nie należała, wmawiając sobie, że w jej przypadku to tylko tymczasowy sposób zarabiania pie-niędzy. Krótki epizod, nic więcej.

– Odkryłem, że istnieje nie jedna, lecz dwie historie prostytucji. Pierwszą znasz, bo to jest także twoja hi-storia: ładna dziewczyna, z powodów, które wybrała lub które los wybrał za nią, odkrywa, że jedynym spo-sobem, by przetrwać, jest sprzedawanie własnego ciała. Niektórym z tych kobiet, jak Mesalinie w Rzymie, uda-ło się w ten sposób zapanować nad całymi narodami. Inne stały się legendą, jak pani du Barry. Jeszcze inne flirtowały z przygodą i bardzo źle się to dla nich skoń-czyło, jak dla Maty Hari, kobiety-szpiega. Lecz więk-szości z nich nie dane było zakosztować smaku sławy. Nigdy nie udało się im wyjść z cienia, na zawsze pozo-stały skromnymi dziewczynami, które marzyły o splendorach, małżeństwie, wielkich przygodach, lecz rzeczywistość okazywała się całkiem inna i traciły resztki złudzeń. Zanurzały się w prostytucję tylko na chwilę, stopniowo przywykały, wydawało im się, że panują nad sytuacją, choć tak naprawdę nie potrafiły już robić nic innego.

Od paru tysięcy lat artyści rzeźbią, malują, piszą książki. Podobnie prostytutki od zawsze wykonują swój zawód, pod tym względem niewiele się zmieniło. Chcesz poznać więcej szczegółów?

Maria skinęła głową, by zyskać na czasie. Zdała sobie sprawę, że jakaś bardzo niszczycielska energia opuściła jej ciało, gdy szła boso przez park nad jeziorem.

– Wzmianki o prostytutkach pojawiają się na egipskich papirusach, w tekstach sumeryjskich, w Starym i Nowym Testamencie. Lecz profesja zaczyna organizować się dopiero w VI wieku przed naszą erą w Grecji, gdy prawodawca Solon ustanawia burdele kontrolowa ne przez państwo i nakłada podatek od „handlu ciałem". Cieszy to ateńskich przedsiębiorców, gdyż dzięki temu zakazany wcześniej proceder staje się legalny. Prostytutki są klasyfikowane według wysokości podatków, jakie płacą.

Najtańszą zwie się *porné*. To niewolnica należąca do właściciela przybytku. Następna w kolejności jest *peripatétiké*, kobieta szukająca klientów na ulicy. I wreszcie najwyżej stojąca w hierarchii pod względem ceny i jakości usług *hetaira*, która podróżuje z ludźmi interesu, bywa na najwspanialszych ucztach, gromadzi wielki majątek, udziela porad, bierze udział w życiu politycznym. Jak widzisz to, co istniało dawniej, istnieje do dziś. W średniowieczu, z powodu chorób wenerycznych...

Cisza, strach przed zakażeniem i gorączką, ciepło bijące z kominka – niezbędne teraz, by rozgrzać jej ciało i duszę. Maria nie chce dłużej słuchać tej historii – przygniotło ją poczucie, że świat zatrzymał się, że wszystko się powtarza, a człowiek nigdy w pełni nie doceni seksu, nie obdarzy go szacunkiem, na jaki przecież zasługuje.

— Ale ty chyba nie jesteś tym zainteresowana.

Zdobyła się na wysiłek. W końcu przed tym mężczyzną miała zamiar otworzyć serce, choć teraz nie była już tego tak bardzo pewna.

— Nie interesuje mnie to, co już wiem — to mnie tylko przygnębia. Mówiłeś, że istnieje jakaś inna historia.

— Druga historia jest diametralnie inna. To prostytucja sakralna.

Maria nagle wynurzyła się ze stanu uśpienia i zaczęła słuchać z uwagą. Sakralna prostytucja? Sprzedawać swoje ciało i na dodatek zbliżać się do Boga?

— Grecki historyk Herodot tak pisze na temat Babilonu: „Panuje tu bardzo dziwny obyczaj. Każda kobieta, która przyszła na świat w Sumerze, ma obowiązek przynajmniej raz w życiu udać się do świątyni bogini Isztar i na znak gościnności oddać swe ciało nieznajomemu za symboliczną opłatę".

Maria poczuła, że musi dowiedzieć się czegoś więcej o tej bogini. Może ona pomoże jej odnaleźć to, co zgubiła, choć sama nie zdawała sobie sprawy, co to było.

— Wpływy bogini Isztar rozciągały się na cały Środkowy i Bliski Wschód, sięgały Sardynii, Sycylii i portów Morza Śródziemnego. Później, za czasów cesarstwa rzymskiego inna bogini, Westa, żądała całkowitej niewinności lub całkowitego oddania się. Aby podtrzymać święty ogień, kapłanki z jej świątyni pomagały młodzieńcom — zwykłym śmiertelnikom i królom — stawiać pierwsze kroki w życiu erotycznym. Śpiewały erotyczne hymny, wpadały w trans, składały swą ekstazę w ofierze światu, podczas swego rodzaju duchowego zespolenia z bóstwem.

Ralf Hart pokazał jej kopię starożytnego hymnu przetłumaczonego na niemiecki. Wydeklamował powoli:

Gdy siedzę na progu tawerny,
Ja, bogini Isztar,
Jestem prostytutką, matką, żoną i bóstwem.
Jestem tym, co nazywa się Życiem,
Mimo że wy nazywaliście mnie Śmiercią.
Jestem tym, co nazywa się Cnotą,
Mimo że wy nazywaliście mnie Bezecnością.
Jestem tą, której szukacie
I którą znaleźliście.
Jestem tą, którą rozrzuciliście,
A teraz zbieracie moje szczątki.

[tłum. Elżbieta Janczur]

Maria dostała czkawki. Ralf roześmiał się. Powracały jej życiowe siły, „światło" rozbłysło w niej na nowo. Snuł dalej opowieść o dziejach prostytucji sakralnej, pokazywał rysunki, starał się na wszelkie sposoby, by czuła się kochana.

184   — Nikt nie wie, dlaczego sakralna prostytucja zanikła, choć trwała co najmniej przez dwa tysiąclecia. Może z powodu chorób lub jakichś przemian społecznych, może dlatego, że zmieniły się religie. Tak czy inaczej, nie ma jej już i nie będzie. W naszych czasach światem rządzą mężczyźni, a określenie „prostytutka" służy wyłącznie do napiętnowania każdej kobiety, która nie idzie prostą drogą.

— Czy możesz przyjść do „Copacabany" jutro?

Ralf nie rozumiał dlaczego, ale zgodził się bez wahania.

Pamiętnik Marii pisany tej nocy, gdy szła boso po parku w Genewie:

Mało mnie obchodzi, czy kiedyś było to uświęcone, czy nie, nienawidzę tego, co robię. To niszczy moją duszę, sprawia, że tracę kontakt ze sobą, uczy mnie, że ból jest nagrodą, że za pieniądze można kupić wszystko, wszystko usprawiedliwić. Wokół mnie nie ma ludzi szczęśliwych. Moi klienci wiedzą, że muszą zapłacić za coś, co powinni mieć za darmo, i jest to dla nich przygnębiające. Kobiety wiedzą, że muszą sprzedawać to, co wolałyby ofiarować z radością i czułością, i jest to dla nich wyniszczające. Stoczyłam długą walkę, zanim napisałam te słowa, zanim pogodziłam się z myślą, że jestem nieszczęśliwa, niespełniona – musiałam i wciąż muszę przetrwać jeszcze parę tygodni.

Nie mogę jednak dalej postępować tak, jakby wszystko to było normalne, jakby miał to być tylko drobny epizod bez znaczenia. Chcę o tym zapomnieć. Potrzebuję miłości, tylko tyle, miłości.

Życie jest za krótkie lub za długie, bym mogła pozwolić sobie na luksus aż tak złego życia.

To się nie dzieje ani u niego, ani u niej. To nie jest ani Brazylia, ani Szwajcaria. To po prostu hotel, który mógłby znajdować się gdziekolwiek na świecie. Standardowe umeblowanie sprawia, że jest jeszcze bardziej bezosobowy.

Nie jest to hotel z widokiem na jezioro, wspomnienie bólu, cierpienia, ekstazy. Okna wychodzą na Drogę Świętego Jakuba, szlak pielgrzymki, ale nie pokuty. Na tej drodze ludzie spotykają się w kawiarniach, odkrywają w sobie „światło", rozmawiają, zostają przyjaciółmi, zakochują się w sobie. Pada deszcz, w nocy ulica jest pusta – może droga odpoczywa od wszystkich tych kroków, które każdego dnia od stuleci stawiają na niej pątnicy.

Wyłączyć światło. Zaciągnąć zasłony.

Poprosić go, by się rozebrał. Jak dotąd tylko ona odsłoniła przed nim swoje ciało. Kiedy jej oczy przywykły już do ciemności, dojrzała w półmroku nagiego mężczyznę.

Wyjęła dwie chusty starannie złożone, wyprane i wielokrotnie wypłukane, by zmyć ślady perfum i mydła. Podeszła do niego i poprosiła, by przewiązał sobie oczy. Zawahał się, mówił o jakimś piekle, przez które już przeszedł. Zapewniła go, że nie o to chodzi: chce po prostu całkowitej ciemności. Wczoraj uświadomił jej, czym jest ból. Teraz jej kolej, by go czegoś nauczyć. W końcu Ralf ustępuje, zakłada opaskę. Ona robi to samo. Nie przebija już żadne światło, są naprawdę pogrążeni w ciemności. Trzymają się za ręce, by trafić do łóżka.

Nie, nie musimy się kłaść. Usiądziemy, tak jak dotąd, naprzeciw siebie, może tylko trochę bliżej jedno drugiego, by dotykać się kolanami.

Zawsze chciała to zrobić, tyle że nigdy nie miała na to czasu. Ani z pierwszym kochankiem. Ani z Arabem, który wyłożył tysiąc franków, licząc być może na coś więcej, niż była w stanie mu dać. Ani z licznymi mężczyznami, którzy kupowali jej ciało.

Myśli o swoim pamiętniku. Ma już dość takiego życia, chciałaby, aby dni, które pozostały do wyjazdu, minęły szybko i właśnie dlatego oddaje się temu mężczyźnie. W tym tkwi światło jej skrywanej miłości. Grzech pierworodny nie polegał na tym, że Ewa zjadła jabłko, tylko że podzieliła się z Adamem, aby ze swoim odkryciem nie czuć się samotna.

Ale pewnymi rzeczami nie można się podzielić. Nie trzeba obawiać się oceanów, w których zanurzamy się z własnej woli. Strach wszystkim miesza w kartach. Człowiek przechodzi piekło, zanim to zrozumie. Kochajmy się, ale nie próbujmy posiąść się nawzajem.

Kocham tego człowieka, który siedzi przede mną, bo nie jest moją własnością ani ja nie należę do niego. Nic nie stoi na przeszkodzie, byśmy oddali się sobie wzajemnie, muszę powtarzać sobie te słowa dziesiątki, setki, miliony razy, aż w końcu sama w nie uwierzę.

Myśli o dziewczynach, które z nią pracują. Myśli o matce, o przyjaciółkach. Wszystkie są przeświadczone, że świat mężczyzn kręci się tylko wokół jedenastu minut dziennie. Ale to nie tak: w mężczyźnie drzemie także coś z kobiety – pragnie spotkać bratnią duszę, by nadać swemu życiu sens.

Czy to możliwe, by jej matka udawała orgazm

przed ojcem, tak jak ona przed swoimi dotychczasowymi kochankami? A może na brazylijskiej głuchej prowincji kobiecie nie wolno okazywać rozkoszy podczas stosunku? Tak mało wie o życiu, o miłości, a teraz z przewiązanymi oczami odkrywa źródło wszystkiego: wszystko zaczyna się tam, gdzie ona chce, by się zaczynało.

Dotyk. Tonąc w zupełnych ciemnościach zapomina o prostytutkach, klientach, matce i ojcu. Przez całe popołudnie zastanawiała się, co mogłaby ofiarować mężczyźnie, który przywrócił jej godność i uprzytomnił, że poszukiwanie szczęścia jest ważniejsze niż potrzeba bólu.

„Chciałabym dać mu okazję, by odkrył przede mną coś nowego. Wczoraj pokazał mi istotę cierpienia, opowiedział historię prostytucji. Skoro daje mu to radość, niechaj mnie prowadzi i wtajemnicza".

Wyciąga do niego rękę i prosi, by dał jej swoją. Szepcze kilka słów: tego wieczoru, w tym bezosobowym pokoju hotelowym chciałaby, by poznał jej skórę, granicę, która oddziela ją od świata. Prosi go, by jej dotykał, by poczuł ją swoimi dłońmi. Ciała rozumieją się nawet wtedy, gdy dusze nie są ze sobą w zgodzie. On gładzi ją delikatnie, a ona odwzajemnia pieszczotę. Oboje unikają miejsc intymnych, to niepisana, obopólna umowa.

Opuszki jego palców muskają jej twarz, czuje zapach farby, którego nie da się zmyć w żaden sposób. Musiał tak pachnieć, gdy zobaczył pierwsze drzewo, pierwszy dom narysowany w marzeniach. On również czuje zapach jej dłoni, nieuchwytny, nienazwany. W tej chwili wszystko jest ciałem, reszta – milczeniem.

Pieści ukochanego i czuje jego pieszczoty. Cała zamienia się w dotyk. Mogłaby tak spędzić całą noc. Nagle, może dlatego, że nie ma żadnego przymusu, czuje ciepło pomiędzy udami. Jest wilgotna. Czeka na chwilę, kiedy on dotknie jej łona i poczuje, że jest mokre. Nie chce jednak nic przyśpieszać, nie ma zamiaru go prowadzić – tu, tam, wolniej, szybciej... Dłonie mężczyzny stają się coraz śmielsze, meszek na jej ramionach podnosi się, jakby chciał go odepchnąć.

Jego palce rysują szerokie kręgi wokół jej piersi, skradają się niczym czatujące zwierzę. Chciałaby poczuć je na swych sutkach, ale może odgadując jej myśli, prowokująco odsuwa tę chwilę w nieskończoność. Gdy wreszcie gładzi jej napęczniałe sutki, przeszywa ją dreszcz i znów topnieje z rozkoszy. Potem wolniutko opuszkami palców wędruje po jej brzuchu, schodzi niżej, wodzi dłońmi po wewnętrznej stronie ud.

Teraz ona pieści jego ciało. Czuje ciepło bijące z jego podbrzusza. Dotyka jego członka z nagle odzyskaną niewinnością. Nie jest tak nabrzmiały, jak to sobie wyobrażała – a ona jest cała mokra, to niesprawiedliwe.

Pieści go tak, jakby na nowo stała się dziewicą. Jest coraz bardziej podniecony. Pragnie, by ją objął, przytulił. Ale nie, dopiero odkrywają swoje ciała, mają czas, dużo czasu przed sobą. Mogliby kochać się już teraz, byłaby to najbardziej naturalna rzecz pod słońcem i zapewne najbardziej cudowna, ale przypomina sobie pierwszy wieczór spędzony razem, kiedy powoli sączyła wino, delektując się każdym łykiem, który rozgrzewał jej duszę, otwierał przed nią nowe perspektywy, dawał jej wolność, przybliżał do życia.

Pragnie bez pośpiechu, dogłębnie smakować tego mężczyznę, by móc zapomnieć na zawsze podłe wina wypijane jednym haustem, które zamiast radosnego upojenia kończyły się kacem i chorobą duszy.

Przerywa, delikatnie splata swoje palce z palcami Ralfa, słyszy jęk i sama ma ochotę jęczeć, lecz się powstrzymuje. Czuje ciepło rozlewające się po całym jej ciele. On musi czuć to samo. Nie ma orgazmu, ale miłosna energia dociera do każdej komórki jej ciała, odświeża umysł. Znowu ma wrażenie, że odzyskała utraconą niewinność.

Zsuwa opaski i zapala lampkę przy łóżku. Oboje są

nadzy, nie uśmiechają się do siebie, po prostu na siebie patrzą. „Jestem miłością, jestem muzyką – pomyślała. – Chodźmy tańczyć".

Ale nie mówi tego. Rozmawiają o rzeczach banalnych. Kiedy znów się spotkamy? Ona proponuje jakąś datę, chyba za dwa dni. On mówi, że chciałby zaprosić ją na wystawę. Ona waha się. To by oznaczało, że pozna jego środowisko, jego przyjaciół. Co powiedzą? Co sobie o niej pomyślą?

Odmawia. A on wie, że miała ochotę przyjąć zaproszenie, więc delikatnie nalega, aż Maria w końcu ustępuje. Umawiają się w kawiarni, gdzie się poznali. Nie, Brazylijczycy są przesądni, nie wolno umawiać się w miejscu pierwszego spotkania, może to zamknąć pewien cykl i położyć kres ich historii.

Decydują się więc na kościół, z widokiem na piękną panoramę miasta, przy Drodze Świętego Jakuba, na której odbyli część tajemniczej pielgrzymki, w dniu kiedy się poznali.

Pamiętnik Marii na dzień przed kupnem biletu powrotnego:

Był sobie ptak obdarzony parą doskonałych skrzydeł o bajecznie barwnych piórach, stworzony do swobodnego szybowania w przestworzach, ku radości tych, którzy obserwowali go w locie.
Pewnego dnia ptaka tego zobaczyła młoda kobieta i zakochała się w nim bez pamięci. Serce jej mocno zabiło, oczy zalśniły z zachwytu, gdy patrzyła, jak z gracją szybuje po błękitnym niebie. Ptak poprosił ją, by mu towarzyszyła, i polecieli razem w pełnej harmonii. Kobieta podziwiała, czciła, wielbiła ukochanego ptaka.

Lecz pewnego dnia pomyślała: „A może on zechce odkryć dalekie krainy, poznać odległe zakątki świata?".
I przestraszyła się własnych myśli. Przestraszyła się, że już nigdy nikogo tak mocno nie pokocha. I obudziła się w niej zazdrość, zazdrość o to, że ptak umie latać.
Poczuła się samotna.

„Zastawię na niego pułapkę – pomyślała. – Następnym razem, gdy się pojawi, już ode mnie nie odleci".
Ptak, który również był bardzo zakochany, przyfrunął do niej nazajutrz. Wpadł do klatki i nie mógł się już z niej wydostać – stał się więźniem.

Kobieta napawała się jego widokiem. Był przedmiotem jej gorącej namiętności, pokazywała go przyjaciółkom, które wzdychały: „Naprawdę cudowny! Jaka jesteś szczęśliwa!". Jednak z biegiem czasu zaszła w niej zadziwiająca przemiana: ponieważ ptak stał się jej własnością i nie musiała już go zdobywać, przestał ją interesować. A on, nie mogąc już latać, z dnia na dzień pogrążał się w coraz głębszym smutku, pióra mu wyblakły, skrzydła opadły – a kobieta zwracała na niego uwagę tylko wtedy, kiedy przynosiła mu jedzenie.

Pewnego dnia, gdy podeszła do klatki, okazało się, że ptak jest martwy. Wpadła w rozpacz i odtąd ani na chwilę nie przestawała o nim myśleć. Ale nie pamiętała o klatce, pamiętała tylko dzień, kiedy ujrzała go po raz pierwszy, jak szybował wysoko w obłokach, swobodny i szczęśliwy.

Gdyby mogła przyjrzeć się sobie samej, zrozumiałaby, że tym, co tak naprawdę wzruszało ją w ukochanym, była jego wolność, ciekawość świata, energia jego silnych skrzydeł.

Utraciła sens życia i śmierć zapukała do jej drzwi.

– Czemu przyszłaś? – zapytała ją udręczona kobieta.

– Abyście mogli być znów razem – odpowiedziała śmierć. – Gdybyś pozwoliła mu odlatywać i wracać, kochałabyś go i podziwiała do dzisiaj. Teraz jestem ci potrzebna, byś mogła go odnaleźć.

Maria zaczęła dzień od załatwienia sprawy, do której przygotowywała się przez ostatnie miesiące. W biurze podróży kupiła bilet powrotny do Brazylii na dzień od dawna zapisany w kalendarzu.

Za dwa tygodnie opuści Europę. Odtąd Genewa będzie miała dla niej twarz mężczyzny, którego kochała i który kochał ją, a ulica Berneńska sprowadzi się do samej nazwy – nadanej na cześć stolicy Szwajcarii. Maria zapamięta swój pokój, jezioro, język francuski i szaleństwa, które popełniła dwudziestotrzyletnia dziewczyna (tak, poprzedniego dnia miała urodziny), nim zrozumiała, że istnieje pewna granica, której przekraczać nie warto.

Nie miała zamiaru uwięzić ptaka z własnej baśni ani prosić go, by pojechał za nią do Brazylii. Sprawił, że była zdolna do najczystszych i najpiękniejszych uczuć. Chciała, żeby cieszył się wolnością. Ona też była ptakiem. Obecność Ralfa Harta u jej boku przypominałaby jej czasy „Copacabany". A to była już odległa przeszłość, nie przyszłość.

Obiecała sobie, że pożegna się z nim dopiero w ostatniej chwili, tuż przed odjazdem, by nie cierpieć za każdym razem, gdy pomyśli: „Już wkrótce mnie tu nie będzie". I tak oszukiwała swe serce, spacerując tego ranka po Genewie. Śledziła lot mew nad rzeką, przyglądała się sklepikarzom porządkującym witryny, ludziom wychodzącym z biur na obiad, samolotom lądującym w oddali, zwróciła uwagę na barwę i smak jabłka, które jadła, na tęczę nad fontanną tryskającą ze środka jeziora, na płochliwą, skrywaną radość przechodniów, na spojrzenia pełne pożądania, na spojrzenia bez wyrazu, na spojrzenia. Niemal rok mieszkała w tym mieście pośród tysiąca innych miast na ziemi. Szczerze mówiąc, gdyby nie jego szczególna architektura i mnóstwo banków, mogłoby równie dobrze znajdować się na brazylijskiej prowincji. Był tu bazar, rynek, targujące się gosposie. Były studenckie pary, które uciekły z zajęć, tłumacząc się pewnie chorobą ojca lub matki, a teraz całowały się nad brzegiem jeziora. Byli ludzie, którzy czuli się tu jak u siebie, i tacy, którzy czuli się obco. Były brukowce oraz szacowne pisma dla biznesmenów, którzy tak naprawdę czytywali tylko prasę brukową.

Poszła do biblioteki, by zwrócić opasłe dzieło o rolnictwie. Nie zrozumiała z niego nic, lecz książka ta przypominała jej o życiowym celu, w chwilach gdy wydawało się, że traci panowanie nad swoim losem. Była jej milczącym towarzyszem, jasnym światełkiem podczas ciemnych nocy tych ostatnich tygodni w Genewie.

„Zawsze robię plany na przyszłość i zawsze zaskakuje mnie teraźniejszość" – myślała Maria. Zastanawiała się, jak niezależność, rozpacz, miłość, cierpienie pozwoliły jej odkryć samą siebie i na nowo odzyskać miłość – wolała, by tak zostało.

Najdziwniejsze było to, że niektóre koleżanki opowiadały o błogiej ekstazie doznanej z mężczyzną. Jej osobiście seks nic nie dał, ani dobrego, ani złego. Nie rozwiązała dotąd swojego problemu – nie udało się jej osiągnąć orgazmu podczas stosunku. Akt płciowy niewiele dla niej znaczył i zapewne nigdy już nie dozna żaru i rozkoszy w „uścisku odnalezienia", o którym kiedyś opowiadał jej Ralf Hart.

Bibliotekarka (Maria miała w niej jedyną przyjaciółkę, choć nigdy jej o tym nie powiedziała), zwykle poważna, była tego dnia w dobrym humorze. Chciała podzielić się z nią kanapką, ale Maria podziękowała, mówiąc, że właśnie zjadła obiad.

– Długo pani trzymała tę książkę.

– Szczerze mówiąc, nic z niej nie zrozumiałam.

– Czy pamięta pani, o co mnie pani kiedyś pytała? Nie, nie pamiętała, ale gdy zobaczyła znaczący uśmiech, zrozumiała: chodziło o seks.

– Sporządziłam wykaz wszystkiego, co na ten temat mamy w naszych zbiorach. Nie ma tego wiele, ale skoro trzeba kształcić młodych ludzi, którzy tu przychodzą, zamówiłam kilka nowych tytułów, by nie musieli się o tym dowiadywać w sposób najgorszy z możliwych, chociażby od prostytutek.

Bibliotekarka wskazała leżącą w kącie stertę książek starannie obłożonych pakowym papierem.

– Nie miałam jeszcze czasu ich posegregować, ale przerzuciłam je pobieżnie i to, co w nich odkryłam, napełniło mnie zgrozą.

No cóż, Maria mogła się założyć, o czym za chwilę będzie mowa: o wyszukanych pozycjach, sadomasochizmie i temu podobnym. Lepiej było się jakoś wyłgać, powiedzieć, że musi wracać do pracy (nie pamiętała już, czy mówiła, że pracuje w banku, czy w sklepie – kłamstwa wymagają dobrej pamięci).

Podziękowała bibliotekarce, dała znak, że już idzie, i wtedy usłyszała:

– Pani też byłaby zgorszona. Na przykład czy wiedziała pani, że łechtaczka to odkrycie świeżej daty?

Odkrycie? Świeżej daty? Nie dalej jak wczoraj pewien mężczyzna w całkowitej ciemności pieścił jej łechtaczkę.

– Jej istnienie zostało oficjalnie ogłoszone publicznie w 1559 roku przez lekarza Realda Colombo w książce

pod tytułem *De re anatomica*. Colombo opisuje ją tam jako rzecz „ładną i przydatną", czy da pani wiarę?!
Obie wybuchnęły śmiechem.

– Dwa lata później, w 1561 roku, inny lekarz, Gabriele Falloppio, stwierdził, że owo „odkrycie" zawdzięczać należy jemu. Obaj mężczyźni – oczywiście Włosi, oni się znają na sprawie – prowadzili długie debaty, by ustalić, który z nich pierwszy odkrył łechtaczkę dla historii świata!

Ta rozmowa była całkiem interesująca, ale Maria nie chciała się nad tym dłużej rozwodzić – znów poczuła, jak jej łono wilgotnieje na samo wspomnienie pieszczot Ralfa, jego dłoni wędrujących się po jej ciele. Nie, dla niej seks nie umarł, ten mężczyzna ją na swój sposób rozbudził. Życie było cudowne!

Ale bibliotekarka rozgadała się na dobre.

– Po tych odkryciach dalej pogardzano tą częścią ciała – mówiła niczym ekspert. – Tyle się teraz pisze w prasie o stosowanych przez niektóre plemiona afrykańskie okaleczeniach, które pozbawiają kobiety prawa do rozkoszy, a wcale nie są nowością. Na przykład w Europie w XIX wieku wycinano łechtaczkę, gdyż panowało powszechne przekonanie, że ta nieistotna część kobiecej anatomii to źródło histerii, epilepsji, bezpłodności, skłonności do cudzołóstwa.

Maria wyciągnęła rękę na pożegnanie, lecz bibliotekarka nie zwróciła na to uwagi.

– Co gorsza, nasz drogi Freud, ojciec psychoanalizy, twierdził, że orgazm u normalnie zbudowanej dojrzałej kobiety powinien przemieszczać się od łechtaczki ku pochwie. Jego najzagorzalsi zwolennicy, rozwijając tę tezę, twierdzili, że odczuwanie rozkoszy seksualnej w okolicach łechtaczki jest oznaką niedojrzałości lub, co gorsza, biseksualności. A przecież każda kobieta doskonale wie, że bardzo trudno przeżyć orgazm jedynie dzięki penetracji. Stosunek z mężczyzną może być cudowny, ale cała przyjemność mieści się w tym maleńkim zgrubieniu odkrytym przez któregoś z tych dwóch Włochów, wszystko jedno którego!

Maria uznała, że jest całkowicie niedojrzała z punktu widzenia Freuda. Jej seksualność, wciąż infantylna, nie przemieściła się od łechtaczki ku pochwie. A może Freud się mylił?

– Co pani sądzi o punkcie G?

– A wie pani, gdzie on się znajduje?

Bibliotekarka zarumieniła się, odchrząknęła, ale odpowiedziała:

– Pierwsze piętro, okno w głębi.

Genialne porównanie! Zupełnie jak w podręczniku wychowania seksualnego dla młodych dziewcząt. Za każdym razem, gdy Maria masturbowała się, przedkładała ten słynny punkt G nad łechtaczkę, która dawała rozkosz połączoną z niepokojem. Zawsze więc wchodziła od razu na pierwsze piętro, do okna w głębi!

Widząc, że bibliotekarka ani myśli kończyć swój wywód – pomachała jej ręką na pożegnanie i wyszła. 197

Czuła się dziwnie, jakby lekko zasmucona – może dlatego, że pozostały jej tylko dwa tygodnie do wyjazdu z Europy? Nie miała ochoty wracać do „Copacabany". Jednak czuła się w obowiązku pracować do końca pobytu, choć nie wiedziała dlaczego. Zaoszczędziła już dość pieniędzy i to popołudnie mogła wykorzystać na zakupy albo umówić się z dyrektorem banku, stałym klientem, który obiecał, że jej doradzi, jak sensownie ulokować oszczędności. Mogła pójść na kawę albo wysłać pocztą część bagażu. Mogła też po prostu przejść się po Genewie i spojrzeć na to miasto świeżym okiem.

Doszła do skrzyżowania, które mijała już setki razy. Rozpościerał się stąd widok na jezioro, na fontannę i na klomby kwiatów w parku po drugiej stronie ulicy, układające się w okazały zegar – jeden z symboli Genewy.

Nagle przystanęła. Odkryła powód swojego smutku: wcale nie miała ochoty wyjeżdżać! A skoro tak, musi stąd uciec jak najszybciej! Nie może czekać dwóch tygodni ani nawet dziesięciu dni. Przyczyną jej rozterek wcale nie był Ralf Hart ani nadzieja na przeżycie w Szwajcarii jeszcze jednej przygody. Przyczyną były pieniądze! Pieniądze! Owe skrawki papieru o nijakich barwach, które powszechnie uznawano za wartościowe – wierzyła w to, tak jak wszyscy. Ale gdyby ze stertą skrawków papieru zjawiła się w banku, szacownym, tradycyjnym, bardzo dyskretnym szwajcarskim banku i zapytała: „Czy mogę za nie kupić kilka godzin życia?", usłyszałaby w odpowiedzi: „Nie, proszę pani, my życia nie sprzedajemy, my tylko kupujemy".

Pisk hamulców. Kierowca samochodu głośno wyraził swoją dezaprobatę, a jakiś uprzejmy starszy pan poprosił ją po angielsku, by się cofnęła – dla przechodniów paliło się czerwone światło.

„Wydaje mi się, że odkryłam coś, o czym wszyscy bez wyjątku powinni wiedzieć".

Ale nikt nie wiedział. Rozejrzała się dookoła. Przechodnie śpieszyli się do pracy, do szkół, do biur pośrednictwa pracy, na ulicę Berneńską, pocieszając się w duchu: „Moje marzenia mogą jeszcze poczekać, dzisiaj powinienem jeszcze trochę zarobić". Oczywiście jej zawód był potępiany, ale tak naprawdę, jak we wszystkich innych zawodach, chodziło w nim o to, by sprzedać swój czas. Wszyscy jechali na tym samym wózku. Robiła rzeczy, których nie lubiła – jak wszyscy. Znosiła ludzi, których nie znosiła – jak wszyscy. Oddawała swe drogocenne ciało i drogocenną duszę, łudząc się na lepszą przyszłość – jak wszyscy. Sądziła, że nie zarobiła jeszcze wystarczająco dużo – jak wszyscy. Musiała być cierpliwa – jak wszyscy. Odkładała marzenia na potem – jak wszyscy. Teraz była zbyt zajęta, czekali na nią klienci, którzy mogli jej zapłacić trzysta pięćdziesiąt albo tysiąc franków szwajcarskich za noc.

Tu i teraz, w pełni świadomie, zakazała sobie myśleć o tym, co mogłaby jeszcze sobie kupić, gdyby została na ulicy Berneńskiej, dajmy na to, rok dłużej.

Ta baśń o ptaku uwięzionym w klatce, którą napisała w pamiętniku, nie odnosiła się do Ralfa Harta, lecz do niej samej! Jest godzina jedenasta – jej pobyt w Genewie właśnie dobiegł końca!

Poczekała na zielone światło, przeszła na drugą stronę ulicy, zatrzymała się przed kwietnym zegarem, pomyślała o Ralfie, znów poczuła na sobie jego spojrzenie pełne pożądania, wspomniała wieczór, kiedy się przed nim obnażyła. Poczuła, jak jego ręce czule gładzą jej piersi, łono, twarz. Przeniosła wzrok na ogromny wodotrysk w oddali i bez masturbacji przeżyła orgazm, tu, na oczach wszystkich.

Nikt tego nie zauważył.

Ledwie weszła do „Copacabany", a już zawołała ją Nyah, jedyna spośród koleżanek, z którą Marię łączyły więzy, można by rzec, przyjacielskie. Siedziała z jakimś Azjatą. Zaśmiewali się do rozpuku.

– Spójrz na to! Popatrz, do czego on mnie namawia! Z szelmowskim uśmiechem mężczyzna uniósł wieko czegoś w rodzaju skrzyneczki na cygara. Maria zerknęła do środka i mimo obaw nie dostrzegła tam strzykawek ani narkotyków. Ani żadnego skarbu. W pudełku leżała plątanina zaworków, korbek, obwodów elektrycznych, małych metalowych styków i baterii, podobna do wnętrzności starego radioodbiornika, z dwoma przewodami, których końcówki podłączono do małej szklanej pałeczki grubości palca. Nic, co mogło być warte majątek.

– Zabawne, wygląda jak z ubiegłego stulecia – powiedziała Maria.

– Bo jest z ubiegłego stulecia! – zaperzył się mężczyzna, oburzony jej ignorancją. – To urządzenie ma ponad sto lat i kosztowało mnie fortunę.

– Jak działa?

Pytanie Marii wyraźnie nie przypadło Nyah do gustu. Ufała Brazylijce, ale obawiała się, że zechce jej odbić klienta, bo czasem ludzie potrafią w jednej chwili zmienić się nie do poznania.

– Już mi wyjaśnił.

I odwracając się do mężczyzny, zasugerowała, by wyszli. Lecz on wydawał się zachwycony zainteresowaniem, jakie wywołała jego zabawka.

– Około 1900 roku, gdy pierwsze baterie pojawiły się na rynku, medycyna tradycyjna robiła doświadczenia z prądem, by sprawdzić, czy da się nim leczyć choroby psychiczne lub histerię. Wykorzystywano go również do walki z trądzikiem i stymulacji witalności skóry. Widzicie te dwa zakończenia? Przykładano je tutaj – wskazał na skroń – a bateria powodowała wyładowanie elektrostatyczne, jakie zdarzają się czasem, gdy powietrze jest bardzo suche.

To zjawisko było niespotykane w Brazylii, za to w Szwajcarii dość częste. Maria odkryła je pewnego dnia, otwierając drzwi taksówki – usłyszała trzask i poczuła silny wstrząs. Sądząc, że to defekt samochodu, oznajmiła, że nie zapłaci za kurs, a kierowca wyzwał ją od idiotek i omal nie poturbował. Miał rację, to nie była wina samochodu, lecz suchego powietrza. Po paru takich incydentach unikała dotykania metalowych przedmiotów, aż wreszcie w supermarkecie kupiła bransoletkę, która w pewnej mierze pochłaniała ładunek elektryczny nagromadzony w organizmie.

– Ależ to okropnie nieprzyjemne! – wykrzyknęła.

Nyah, coraz bardziej zniecierpliwiona jej zachowaniem, objęła klienta, by nie pozostawić żadnej wątpliwości, do kogo on należy.

– To zależy od miejsca, w które się to włoży – powiedział mężczyzna ze śmiechem.

Pokręcił korbką i obydwie pałeczki stały się fioletowe. Dotknął nimi po kolei obu kobiet. Rozległ się suchy trzask, ale sam wstrząs przypominał raczej leciutkie swędzenie.

Milan podszedł do ich stolika.

– Bardzo proszę, nie używać tego tutaj.

Klient schował instrument do pudełka. Filipinka skwapliwie wykorzystała okazję i zasugerowała, by od razu poszli do hotelu. Mężczyzna wyglądał na lekko rozczarowanego – nowo przybyła wykazywała większe zainteresowanie jego cudowną zabawką niż kobieta, która ponaglała go teraz do wyjścia. Włożył jednak marynarkę, schował pudełko do skórzanej teczki i oświadczył:

– Teraz znów produkują to urządzenie. Jest modne w kręgach tych, którzy poszukują specyficznych rozkoszy. Ale ten model to unikat, można go znaleźć tylko w niezwykle rzadkich zbiorach medycznych, w muzeach lub u antykwariuszy.

Milan i Maria zostali sami przy stoliku.

– Widział pan już kiedyś coś takiego?

– Nie. Taki model rzeczywiście musi kosztować majątek. Ten facet zajmuje wysokie stanowisko w firmie naftowej, więc może sobie na to pozwolić. Ale widziałem inne modele, trochę nowocześniejsze.

– A jak się tego używa?

– Ludzie wkładają to sobie do środka... i partner kręci korbką. Przyjmują wstrząs od wewnątrz.

– Nie mogliby tego robić sami?

– W tej dziedzinie niemal wszystko można robić samemu. Tylko po co? Dla nas lepiej, żeby chcieli dzielić z kimś przyjemność, inaczej ja bym zbankrutował, a ty poszłabyś pracować w sklepie warzywnym. À propos, na dziś zapowiedział się twój specjalny klient. Proszę, nie przyjmuj żadnych innych zaproszeń.

– Nie przyjmę. Łącznie z nim. Przyszłam tylko się pożegnać, odchodzę.

Milan był zaskoczony.

– Malarz?

– Nie. „Copacabana". Istnieje jakaś granica – a ja odkryłam ją dziś rano, przy kwietnym zegarze koło jeziora.

Co to za granica?

– Cena farmy na brazylijskiej prowincji. Wiem, że mogłabym zarobić jeszcze więcej, pracować przez kolejny rok. Cóż to za różnica? Ale ja znam tę różnicę. Zostałabym na zawsze w tej pułapce, jak pan, jak moi klienci: bankierzy, piloci, łowcy głów, dyrektorzy wydawnictw płytowych, wszyscy mężczyźni, których poznałam, którym sprzedałam swój czas i którzy nie mogą mi go zwrócić. Jeżeli zostanę jeden dzień dłużej, zostanę rok dłużej, a jeżeli zostanę rok dłużej, nigdy się z tego bagna nie wydostanę.

Milan pokiwał głową ze zrozumieniem, jakby zgadzał się, ale nic nie powiedział, bo Maria mogłaby zarazić tym pomysłem inne dziewczyny, które dla niego pracują. Był porządnym człowiekiem i nawet jeżeli nie dał Marii swojego błogosławieństwa, nie starał się jej przekonać, że popełnia błąd.

Zamówiła kieliszek szampana. Miała już po dziurki w nosie koktajlu owocowego. Teraz mogła się napić tego, na co miała ochotę, nie była w pracy. Milan zapewnił ją, że może do niego dzwonić, gdyby czegokolwiek potrzebowała, i że zawsze może na niego liczyć.

Chciała zapłacić za drinka, ale odpowiedział jej, że to na koszt firmy. Przyjęła prezent. Dała tej firmie o wiele więcej, niż jest wart jeden kieliszek szampana.

Pamiętnik Marii, pisany po powrocie do siebie:

Nie pamiętam już, kiedy to było, ale pewnej niedzieli postanowiłam pójść do kościoła na mszę. Po jakimś czasie się zorientowałam, że trafiłam w nieodpowiednie miejsce: to był kościół protestancki. *Zbierałam się już do wyjścia, gdy pastor rozpoczął kazanie. Pomyślałam, że będzie niedelikatnie, jeśli teraz wstanę – i chwała Bogu, tego dnia bowiem usłyszałam słowa, których bardzo wtedy potrzebowałam.*

„We wszystkich niemal językach świata istnieje to samo przysłowie: „Czego oczy nie widzą, tego sercu nie żal". Twierdzę, że nie ma nic bardziej fałszywego. Im bardziej oczy nie widzą, tym bardziej sercu żal – tych uczuć, które staramy się w sobie stłumić, o których chcemy zapomnieć. Gdy jesteśmy na wygnaniu, pielęgnujemy najmniejsze wspomnienie o ojczyźnie, o naszych korzeniach. Gdy jesteśmy daleko od ukochanej istoty, każdy mijany przechodzień przypomina nam o niej.

Ewangelie i święte teksty niemal wszystkich religii napisano na wygnaniu, podczas pielgrzymki dusz błąkających się po ziemi w poszukiwaniu Boga. Nasi przodkowie nie wiedzieli i my nie wiemy, czego oczeku-

je od nas Bóg. A my, by nie zapomnieć, kim jesteśmy – bo nie wolno nam tego zrobić – piszemy książki lub malujemy obrazy".

Po mszy podeszłam do pastora i powiedziałam, że jestem cudzoziemką. Podziękowałam mu za to, że przypomniał mi tę prawdę – czego oczy nie widzą, tego sercu żal. I właśnie dlatego, że tak bardzo żal, dziś stąd wyjeżdżam.

Maria wyciągnęła z szafy dwie walizki i położyła je na łóżku. Wyobrażała sobie, że wypełni je prezentami, pięknymi sukniami, zdjęciami śnieżnego krajobrazu i wielkich stolic Europy, pamiątkami ze szczęśliwego okresu, gdy mieszkała w najbardziej bezpiecznym, mlekiem i miodem płynącym kraju świata. To prawda, miała trochę nowych ubrań i kilka zdjęć śniegu, który pewnego dnia spadł w Genewie, ale poza tym nic nie stało się po jej myśli.

Przyjechała tu, licząc na to, że zbije fortunę, nauczy się życia i odkryje, kim jest, znajdzie męża, sprowadzi rodzinę, by pochwalić się swoim szczęściem. Jej oszczędności wystarczą tylko na kupno małej farmy w Brazylii, na nic więcej. Nie poznała pobliskich gór i – co gorsza – pozostała obca sama sobie, choć przynajmniej wiedziała, kiedy trzeba się zatrzymać.

Niewielu ludzi to wie.

Była tancerką w kabarecie, nauczyła się francuskiego, pracowała jako prostytutka i bezgranicznie pokochała pewnego mężczyznę. Jak na jeden rok, to niemało. Czuła się szczęśliwa pomimo smutku. A smutek ten miał imię. Nie prostytucja, nie Szwajcaria ani pieniądze, tylko Ralf Hart. Choć nigdy nie przyznała się do tego sama przed sobą, w głębi serca pragnęła poślubić tego mężczyznę, który za chwilę będzie czekał na nią w kościele, by pokazać jej swoje obrazy i przedstawić przyjaciół. Zamierzała nie iść na spotkanie, tylko zatrzymać się w hotelu niedaleko lotniska. Skoro samolot odlatywał nazajutrz rano, każda dodatkowa minuta spędzona z nim zamieniłaby się w lata cierpień w przyszłości – z powodu tego, co powiedziała, a czego nie powiedziała, na wspomnienie jego dotyku, barwy głosu, sposobu, w jaki dodawał jej otuchy.

Otworzyła ponownie walizkę, wyjęła z niej wagonik kolejki elektrycznej, przyglądała mu się chwilę, zanim wyrzuciła go do kosza. Nie zasługiwał na to, by poznać Brazylię: dziecko, które nim obdarowano, nie miało z niego żadnej frajdy.

Nie, nie pójdzie do kościoła. Ralf Hart może ją zacząć wypytywać, a jeżeli pozna prawdę, będzie błagał, by została, zasypie obietnicami, wyzna miłość, którą i tak okazywał przy każdej sposobności. A przecież spotykali się absolutnie bez zobowiązań i żaden związek oparty na innych zasadach nie mógłby przetrwać. Może dlatego się kochali? Bo wiedzieli, że nie potrzebują siebie nawzajem. Mężczyźni zawsze boją się kobiet, które im mówią: „Nie mogę bez ciebie żyć", a Maria wolała zabrać ze sobą obraz Ralfa Harta zakochanego, bez lęku, gotowego dla niej na wszystko.

A zresztą miała jeszcze czas, by ustalić, czy pójdzie na spotkanie. Teraz musiała zająć się sprawami praktycznymi. Przejrzała wszystkie rzeczy, które żadnym sposobem nie chciały zmieścić się w walizkach, i po chwili namysłu postanowiła je zostawić. Właściciel mieszkania sam zdecyduje, co z tym dalej zrobić. Nie mogła zabrać wszystkiego do Brazylii, choć jej rodzice potrzebowaliby tego bardziej niż pierwszy lepszy szwajcarski żebrak. Zresztą z tymi przedmiotami (talerze, garnki, obrazki kupione na pchlim targu, ręczniki i pościel) związanych było wiele złych wspomnień.

Poszła do banku i wypłaciła wszystkie oszczędności.

Dyrektor – z którym łączyły ją intymne stosunki – twierdził, że to zły pomysł, że franki szwajcarskie mogły nadal dla niej pracować i dostawałaby odsetki w Brazylii. A poza tym, gdyby teraz ktoś ją okradł, rok jej pracy poszedłby na marne! Maria zawahała się, pomyślała, że bankier ma rację, że naprawdę chce jej pomóc. Doszła jednak do wniosku, że pieniądze te miały przekształcić się w farmę, dom dla rodziców, kilka sztuk bydła i perspektywę ciężkiej pracy. Nie chodziło jej o to, by zostały jedynie papierem wartościowym. Podjęła je co do centyma, schowała do kupionej specjalnie na tę okazję torebki, którą przypięła do paska pod ubraniem.

Udała się do agencji podróży, modląc się w duchu, by zdołała zrealizować swe plany do końca. Okazało się, że lot następnego dnia miał międzylądowanie w Paryżu, gdzie trzeba się przesiąść do innego samolotu. Trudno – najważniejsze, żeby była daleko stąd, zanim zdąży się rozmyślić.

Dotarła aż do mostu, kupiła lody – choć znów zaczynało się ochładzać – i z zachwytem zaczęła się przyglądać Genewie. Miasto wydało się jej dziś całkiem inne niż w dniu, w którym tu przybyła. Miała wrażenie, jakby dopiero tu przyjechała i zaczynała poznawać tutejsze muzea, zabytki, modne bary, restauracje. To dziwne, gdy mieszka się w jakimś mieście, zazwyczaj jego zwiedzanie odkłada się na później i na ogół się go dobrze nie poznaje.

Właściwie powinna cieszyć się, że wraca do siebie, ale nie umiała się cieszyć. Pomyślała, że powinna być smutna, bo opuszcza miasto, które tak gościnnie ją przyjęło, ale smucić się też nie umiała. Uroniła kilka łez nad sobą: dziewczyną inteligentną, która miała wszelkie przesłanki ku temu, by odnieść sukces, tyle że na ogół podejmowała błędne decyzje.

Żarliwie wierzyła, że tym razem się nie myli.

Gdy weszła, kościół był całkiem pusty. Mogła w spokoju podziwiać piękne witraże. Patrzyła na ołtarz i pusty krzyż: nie narzędzie tortur i męczeńskiej śmierci, lecz symbol zmartwychwstania. Ten krzyż stracił swą wymowę, swe znaczenie, nie kojarzył się z męką i rozpaczą Tego, który na nim skonał. Przypomniała sobie pejcz użyty tego wieczoru, kiedy szalała burza – też stracił swe znaczenie i wymowę.

„Mój Boże, o czym ja myślę?!".

Była zadowolona, że nie musi oglądać obrazów świętych męczenników z otwartymi, krwawiącymi ranami. Kościół był tylko miejscem, gdzie ludzie spotykali się, by oddawać cześć czemuś, czego rozumem pojąć nie można.

Zatrzymała się przed tabernakulum, gdzie przechowywane było ciało Chrystusa, w którego jeszcze wierzyła, choć niewiele poświęcała Mu uwagi. Uklękła i przyrzekła Bogu, Matce Boskiej, Chrystusowi i wszystkim świętym, że bez względu na to, co się wydarzy, nie zmieni postanowienia i jutro wyjedzie. Złożyła obietnicę, bo znała dobrze pułapki miłości, które potrafią skruszyć wolę kobiety.

Nagle poczuła, że ktoś dotyka jej ramienia. Za nią stał Ralf Hart.

– Jak się masz?

– Dobrze – odpowiedziała bez cienia niepokoju.

– Chodźmy na kawę.

Trzymali się za ręce jak dwoje zakochanych, którzy odnaleźli się po długiej rozłące. Całowali się na ulicy, kilku przechodniów spojrzało na nich z oburzeniem. Śmiali się z powodu skrępowania, jakie wywoływali, i zazdrości, jaką budzili – wiedzieli, że ci zgorszeni ludzie wiele by dali, by móc się znaleźć na ich miejscu. Weszli do kawiarni. Wydała im się wyjątkowa, niepodobna do innych, tylko dlatego, że właśnie do niej weszli, że się kochali. Zaczęli rozmawiać o Genewie, o początkowych kłopotach Marii z językiem, o witrażach w kościele, o zgubnym wpływie tytoniu – oboje palili i nie mieli najmniejszego zamiaru wyrzekać się tego nałogu.

Uparła się, by zapłacić rachunek, i w końcu się zgodził. Poszli na wystawę, poznała środowisko, w którym się obracał, artystów, ludzi bogatych, którzy wydawali się jeszcze bogatsi, niż byli w istocie, milionerów, którzy wydawali się biedni, publiczność dopytującą się o przeróżne detale, o których nie miała pojęcia. Wszyscy chętnie rozmawiali z Marią, podziwiali jej znajomość francuskiego, pytali o karnawał w Rio, piłkę nożną i sambę. Dobrze wychowani, mili, sympatyczni, otwarci.

Zaproponował, że przyjdzie do niej wieczorem do „Copacabany". Powiedziała, że ma wolne i chciałaby zaprosić go na kolację.

Zgodził się, umówili się więc w sympatycznej restauracji przy niewielkim placyku Cologny.

Wtedy Maria przypomniała sobie o swojej jedynej tutejszej przyjaciółce i postanowiła się z nią pożegnać.

Całą wieczność tkwiła uwięziona w korkach, czekając, aż Kurdowie (znowu!) zakończą demonstrację. Ale teraz, gdy była panią swego czasu, to już nie miało znaczenia. Gdy dotarła na miejsce, bibliotekę akurat zamykano.

– Może wyda się to pani zbyt poufałe, ale nie mam nikogo, komu mogłabym się zwierzyć – powiedziała bibliotekarka na widok Marii.

Ta kobieta nie miała żadnej przyjaciółki, spędzając całe dnie w tym miejscu?! Nie miała z kim porozmawiać, spotykając codziennie tylu ludzi?! Nareszcie Maria spotkała kogoś, kto był do niej podobny.

– Przemyślałam to, co wczoraj przeczytałam o łechtaczce...

– Czy nie możemy porozmawiać o czymś innym?

– ...i doszłam do wniosku, że choć sprawy łóżkowe z mężem zawsze układały się nam dobrze i czerpałam z tego wiele przyjemności, trudno mi było osiągnąć orgazm podczas stosunku. Czy uważa pani, że to normalne?

– Czy uważa pani za normalne, że Kurdowie manifestują każdego dnia? Że zakochane kobiety uciekają od swych książąt z bajki? Że ludzie sprzedają swój cenny czas, którego żadną miarą nie można odkupić? A jednak tak się dzieje. Mało istotne więc, co ja myślę, wszystko i tak jest normalne. Wszystko, co jest w zgodzie z naszą naturą i naszymi najskrytszymi pragnieniami, jest dla nas normalne, nawet jeżeli jest wynaturzeniem w oczach Boga. Sami prosiliśmy się o piekło i budowaliśmy je przez tysiąclecia. Teraz zatem nic nie stoi na przeszkodzie, byśmy żyli w sposób najgorszy z możliwych.

Maria po raz pierwszy zapytała bibliotekarkę o imię (znała tylko jej nazwisko). Heidi. Była zamężna przez trzydzieści lat, a nigdy – nigdy! – nie zastanawiała się, czy to normalne, że podczas stosunku z mężem nie miała orgazmu.

– Nie wiem, czy powinnam była wszystko to czytać! Może lepiej byłoby żyć w niewiedzy, w przekonaniu, że wierny mąż, mieszkanie z widokiem na jezioro i stanowisko urzędnika państwowego jest szczytem marzeń dla kobiety mojego pokroju. Odkąd pani się tu zjawiła i wzięłam się za te lektury, zaniepokoiło mnie, co zrobiłam z własnym życiem. Czy dzieje się tak ze wszystkimi ludźmi?

– Mogę panią zapewnić, że tak.

Maria poczuła się bardzo doświadczona przy tej kobiecie, która prosiła ją o rady.

– Czy zechciałaby pani mnie wysłuchać?

Maria kiwnęła głową zaintrygowana.

– Oczywiście jest jeszcze pani za młoda, by zrozumieć te sprawy, ale właśnie z tego powodu o tym mówię. Żeby pani nie popełniła tych samych błędów co ja.

Dlaczego mój mąż nie widział, z jakim trudem, z jak wielkim trudem przychodziło mi udawanie tego, co jego zdaniem powinnam była odczuwać? Oczywiście, odczuwałam też rozkosz podczas stosunków z nim, ale to była rozkosz innego rodzaju, rozumie pani?

– Rozumiem.

– Teraz już wiem dlaczego. Piszą o tym tutaj. – Wskazała książkę przed sobą, lecz Marii nie udało się odczytać tytułu. – Istnieje wiązka nerwów, która łączy łechtaczkę z punktem o kluczowym znaczeniu, punktem G. Ale mężczyźni uważają, że wszystko sprowadza się do penetracji. Czy wie pani, czym jest punkt G?

– Mówiłyśmy już o tym – powiedziała Maria. – „Pierwsze piętro, okno w głębi".

– Oczywiście! – Spojrzenie bibliotekarki się rozjaśniło. – To śmieszne! Punkt G jest zdobyczą naszego stulecia i trąbią o nim wszystkie gazety. Czy zdaje sobie pani sprawę, w jak rewolucyjnych czasach przyszło nam żyć?

Maria spojrzała na zegarek, a Heidi uświadomiła sobie, że powinna się pośpieszyć, by powiedzieć tej ślicznej dziewczynie, że kobiety mają pełne prawo do szczęścia i do spełnienia, i że przyszłe pokolenia powinny korzystać z tych wspaniałych odkryć nauki.

– Freud uważał, że siedzibą naszej rozkoszy może być tylko pochwa, tak jak u mężczyzn – penis. Lecz trzeba cofnąć się do źródła, do tego, co zawsze dawało nam rozkosz: do łechtaczki i do punktu G! Niewiele kobiet szczytuje podczas stosunku. Jeżeli tak się też dzieje w pani związku, mam jedną radę: zmieńcie pozycję! Niech chłopak się położy na plecach, a pani na nim. W takiej pozycji łechtaczka ociera się o członek i osiągnie pani to, czego pani szuka i na co pani bez wątpienia zasługuje.

Maria udawała tylko, że rozmowa ta mało ją obchodzi. Obchodziła ją bardzo. A więc nigdy nie osiągnęła satysfakcji seksualnej wyłącznie z powodu złej pozycji! Miała ochotę wycałować bibliotekarkę. Ogromny kamień spadł jej z serca!

Heidi uśmiechnęła się z miną spiskowca.

– Oni o tym nie wiedzą, ale my także możemy mieć wzwód!

„Oni" to byli zapewne mężczyźni. Maria ośmieliła się zapytać:

– Czy zdradziła pani kiedyś męża?

Tym pytaniem wywołała szok. Bibliotekarka ciskała oczami coś w rodzaju świętego ognia, poczerwieniała, trudno jej było coś z siebie wydusić z wściekłości, a może wstydu.

– Powróćmy do naszego wzwodu. Łechtaczka staje się twarda, wiedziała pani o tym?

– Od dziecka.

Heidi była wyraźnie rozczarowana, ale nie dawała za wygraną:

– I okazuje się, że jeżeli pieści się pani, nie dotykając czubka łechtaczki, rozkosz może być jeszcze większa. Niektórzy mężczyźni starają się dotykać tego czubka, nie wiedząc nawet, że to bywa czasami bolesne, zgadza się pani ze mną? A poza tym szczera rozmowa z partnerem zawsze przynosi korzyści, według książki, którą właśnie czytam.

– Czy rozmawiała pani szczerze z mężem?

Heidi znowu uchyliła się od odpowiedzi.

Maria spojrzała na zegarek. Wyjaśniła, że przyjechała, by się pożegnać przed wyjazdem, gdyż jej staż dobiegł końca. Bibliotekarka nie słuchała.

– Nie chce pani wziąć tej książki o łechtaczce?

– Nie, dziękuję.

– I nie chce pani wypożyczyć nic innego?

– Nie. Wracam do Brazylii, ale chciałabym pani podziękować. Zawsze traktowała mnie pani z szacunkiem i zrozumieniem. Do widzenia.

Uścisnęły się serdecznie, życząc sobie wzajemnie wiele szczęścia.

Bibliotekarka poczekała, aż za Marią zamkną się drzwi, ale potem – to było silniejsze od niej – uderzyła pięścią w stół. Była wściekła na siebie. Dlaczego nie wykorzystała okazji? Skoro dziewczyna ośmieliła się zapytać ją, czy kiedykolwiek zdradziła męża, czemu nie powiedziała jej prawdy?

Trudno, to już zresztą nieistotne.

W końcu świat nie kręci się tylko wokół seksu, choć seks z pewnością się liczy. Rozejrzała się po półkach z książkami, których było tu tysiące. Większość opowiadała o miłości. Zawsze takiej samej – spotkanie dwojga ludzi, miłość, rozstanie i nowe spotkanie. Była w nich mowa o porozumieniu dusz, o dalekich krajach, przygodach, cierpieniach i rozterkach, lecz rzadko pojawiał się ktoś, kto mówił: „Drogi panie, niech pan się postara lepiej poznać kobiece ciało". Dlaczego w tych książkach nie mówiono otwarcie o potrzebach seksualnych kobiet?

Może dlatego, że właściwie nikogo to nie interesowało. Mężczyzna uparcie poszukiwał nowych wrażeń, wciąż jeszcze na swój sposób był jaskiniowym myśliwym, którym kierował instynkt zdobywcy. A kobieta? Heidi wiedziała z własnego doświadczenia, że jej ochota na miłosne igraszki w małżeńskim stadle przetrwała zaledwie kilka lat, potem wyraźnie zmalała i zeszła na dalszy plan. Kobiety najczęściej się do tego nie przyznają, bo każda myśli, że jej los jest odosobniony. I kłamie, udaje, że ją nużą zapędy męża, który ma ochotę na seks niemal każdej nocy.

Kobiety dość prędko zaczynają zajmować się czymś innym: dziećmi, porządkami, gotowaniem, tolerowaniem mężowskich skoków w bok, planowaniem wakacji, podczas których bardziej myślą o dzieciach niż o sobie, zajmują się nawet miłością, ale nie seksem.

Heidi wyrzucała sobie, że nie była bardziej otwarta wobec tej młodej Brazylijki, najwyraźniej naiwnej jeszcze dziewczyny, która była w wieku jej córki i nie znała jeszcze życia. Dzielnie radziła sobie na emigracji, z dala od rodziny i bliskich, podjęła nieciekawą pracę, by jakoś wiązać koniec z końcem. Miała nadzieję, że spotka mężczyznę, który poprosi ją o rękę, poślubi go, uda kilka orgazmów, osiągnie poczucie bezpieczeństwa, pozna tajemnicze dobrodziejstwo prokreacji i prędko zapomni o takich sprawach jak orgazm, łechtaczka i punkt G. Stanie się przykładną żoną i troskliwą matką, będzie dbać, by niczego w domu nie brakowało, od czasu do czasu masturbować się po kryjomu, myśląc o nieznajomym, który rzucił jej pożądliwe spojrzenie, gdy mijali się na ulicy. Będzie zachowywała pozory. Dlaczego świat tak bardzo przejmował się pozorami?

Z tego właśnie powodu nie odpowiedziała na pytanie Marii, czy zdradziła już kiedyś męża.

„Te tajemnice zabieramy ze sobą do grobu" – pomyślała. Mąż był zawsze mężczyzną jej życia, nawet kiedy seks z nim należał już do odległej przeszłości. Był wspaniałym człowiekiem, wiernym towarzyszem, uczciwym, wspaniałomyślnym, zrównoważonym, za wszelką cenę starał się zapewnić godziwy byt rodzinie i uszczęśliwić tych, za których czuł się odpowiedzialny. Mężczyzna idealny, o takim marzy chyba każda kobieta. Właśnie dlatego Heidi tak trudno było pogodzić się z myślą, że pewnego dnia zapragnęła innego mężczyzny i poszła za głosem instynktu. Przypomniała sobie to spotkanie. Wracała właśnie z Davos, gdy śnieżna lawina przerwała na kilka godzin kursowanie pociągów. Heidi zadzwoniła do domu, żeby się nie martwili, kupiła w kiosku kilka czasopism i przygotowała się na dłuższe oczekiwanie na dworcu.

Wtedy zobaczyła obok siebie mężczyznę z plecakiem, do którego przytroczony był śpiwór. Lekko szpakowaty, ogorzały od słońca, był jedynym, któremu opóźnienie pociągu zdawało się nie przeszkadzać. Wręcz przeciwnie, uśmiechał się i wyraźnie szukał kogoś chętnego do rozmowy. Heidi otworzyła gazetę, ale – och! tajemnico przypadku! – zanim zaczęła czytać, jej spojrzenie skrzyżowało się ze wzrokiem podróżnego i już było za późno, żeby go zignorować.

Zagaił rozmowę. Okazało się, że jest pisarzem, brał udział w jakimś kongresie, ale lawina pomieszała mu szyki i nie zdąży już na powrotny samolot. Poprosił ją, by pomogła mu znaleźć jakiś hotel, gdy dotrą do Genewy.

Heidi przyglądała mu się z rosnącą ciekawością. Jak ktoś, kto spóźni się na samolot i musi czekać godzinami w niewygodnej dworcowej poczekalni, może tryskać humorem?

Pisarz zaczął rozprawiać, jakby byli starymi przyjaciółmi. Opowiadał jej o swych podróżach, o tajnikach twórczości literackiej i – co ją zdumiało, ale i oburzyło – o kobietach, które kochał. Od czasu do czasu przepraszał za swą gadatliwość i prosił, by powiedziała mu coś o sobie. „Jestem zwykłą osobą, niczym wyjątkowym się nie wyróżniam” – zdołała jedynie wydusić.

Nagle przyłapała się na tym, że chciałaby, aby pociąg nigdy nie przyjechał. Rozmówca był czarujący, dowiadywała się o rzeczach, które do jej świata przenikały tylko za pośrednictwem powieści. A ponieważ nigdy więcej już miała go nie zobaczyć, ośmieliła się (potem nie umiała wytłumaczyć dlaczego) zapytać go o sprawy, które leżały jej na sercu. Jej małżeństwo przechodziło trudny okres i chciała się dowiedzieć, jak temu zaradzić. Nieznajomy podsunął jej kilka zręcznych pomysłów, ale widziała, że nie był zachwycony rozmową o jej mężu.

– Jest pani bardzo interesującą kobietą – powiedział. Nie słyszała tego od lat i nie wiedziała, jak zareagować. Widząc jej zmieszanie, zmienił temat. Zaczął opowiadać o pustyniach, górach, zaginionych miastach, kobietach zakrywających twarze, o wojownikach, piratach i starych mędrcach.

Wreszcie nadjechał pociąg. Usiedli obok siebie. Nie była już mężatką z trójką dzieci mieszkającą w willi nad jeziorem, lecz poszukiwaczką przygód. Patrząc na górskie szczyty, na rzekę, czuła się beztroska i szczęśliwa. Schlebiało jej, że siedzący u jej boku mężczyzna chce ją zdobyć (mężczyźni myślą tylko o tym) i za wszelką cenę stara się wywrzeć na niej dobre wrażenie. Tego ranka świat wyglądał inaczej, była młodą trzydziestoośmioletnią kobietą obserwującą z zachwytem wysiłki, jakie podejmował mężczyzna, by ją uwieść. W jesieni życia (aczkolwiek przedwczesnej), gdy sądziła, że ma już wszystko, czego mogła oczekiwać, ten człowiek pojawił się na dworcu i wtargnął w jej życie, nie pytając o pozwolenie.

Wysiedli w Genewie. Wskazała mu hotel (skromny, jak nalegał, bo nie przewidział, że przyjdzie mu spędzić jeszcze jeden dzień w kraju, gdzie życie było tak drogie) i poprosił, by towarzyszyła mu do pokoju, żeby sprawdzić, czy wszystko jest w porządku. Heidi wiedziała, co ją czeka, a mimo to poszła za nim. Zamknęli drzwi, zaczęli całować się namiętnie, zerwał z niej ubranie i... Mój Boże! Jak on znał kobiece ciało!

Na kilka godzin przestała być wierną żoną, panią domu, czułą matką, przykładną urzędniczką, by na nowo stać się kobietą.

Kochali się całe popołudnie, urok prysł dopiero

o zmierzchu. Powiedziała wówczas zdanie, którego wolałaby nigdy nie wymówić: „Muszę wracać, mąż na mnie czeka".

Zapalił papierosa. Długo milczeli. Ani jedno, ani drugie nie powiedziało „żegnaj". Heidi ubrała się i wyszła, nie oglądając się za siebie, wiedząc, że cokolwiek by powiedzieli, każde słowo, każde zdanie byłoby pozbawione sensu.

Przez kilka dni mąż zwracał jej uwagę, że zmieniła się, że jest bardziej radosna albo smutniejsza – nie umiał tego dokładnie określić. Po tygodniu wszystko wróciło do normy.

„Szkoda, że nie opowiedziałam o tym tej dziewczynie – pomyślała bibliotekarka. – Zresztą i tak nic by z tego nie zrozumiała. Łudzi się jeszcze, że ludzie są sobie wierni, a miłosne przysięgi wieczne".

Pamiętnik Marii:

Nie wiem, co mógł pomyśleć tego wieczoru, kiedy otworzył drzwi i zobaczył mnie z dwiema walizkami. – Nie przejmuj się – powiedziałam od razu. – Nie wprowadzam się tutaj. Chodźmy na kolację. Bez słowa pomógł mi wnieść bagaże. Nie zapytał „Co to jest?" ani nie powiedział „Cieszę się, że jesteś", tylko porwał mnie w ramiona i zaczął całować, gładzić moje piersi, łono, jakby czekał na to od bardzo dawna i przeczuwał, że to ostatnia okazja.

Zerwał ze mnie żakiet, sukienkę, i tam, w przedpokoju, bez żadnych wstępów, kochaliśmy się po raz pierwszy. Może powinniśmy poszukać wygodniejszego miejsca, poświęcić sobie więcej czasu, ale przecież chciałam go czuć w sobie, kochać go z całych sił, mieć – bodaj przez jedną noc – to, czego nigdy nie miałam i czego prawdopodobnie nie będę już miała.

Położył mnie na podłodze, wszedł we mnie, zanim stałam się gotowa, ale ból mi nie przeszkadzał – wręcz przeciwnie, spodobało mi się to, musiał pojąć, że należę już do niego całą sobą i nie musi mnie prosić o pozwolenie. Nie przyszłam, by go czegokolwiek uczyć ani by udowodnić, że jestem bardziej wrażliwa niż inne kobiety, tylko po to, by mu powiedzieć, że go pragnę, że ja również na to czekałam, że na przekór wszystkim zasadom, które ustaliliśmy między sobą, jestem szczęśliwa, a teraz niech nas prowadzi instynkt. Kochaliśmy się w najbardziej tradycyjnej pozycji – ja pod nim, on nade mną. Kiedy patrzyłam na niego, nie było we mnie chęci, by udawać czy jęczeć. Chciałam tylko mieć oczy szeroko otwarte, by móc zapamiętać każdą sekundę, widzieć mimikę jego twarzy, dłonie, które chwytały moje włosy, usta, które mnie kąsały i całowały. Żadnej gry wstępnej, żadnych pieszczot, żadnych wymysłów, tylko on we mnie, a ja w jego duszy.

Unosił się i opadał, przyśpieszał lub zwalniał tempo, zatrzymując się co jakiś czas, by mi się przyjrzeć. Nie pytał, czy mi się to podoba, gdyż wiedział, że jest to jedyny sposób, by nasze dusze połączyły się w tej chwili. Kochaliśmy się coraz szybciej, wiedziałam, że jedenaście minut dobiega końca, chciałam, by trwały wiecznie, było cudownie – ach, mój Boże! Jakież to było cudowne! Oddawać się, nie biorąc! – wszystko z szeroko otwartymi oczami. Pamiętam dokładnie moment, kiedy nasz wzrok stał się mglisty, jakbyśmy wchodzili w inny wymiar. Byłam tam Wielką Matką, całym wszechświatem, kobietą kochaną, świętą ladacznicą dawnych rytuałów, o których opowiadał mi przy kieliszku wina i ogniu w kominku. Przeczułam jego orgazm, chwycił mnie za ręce, jego ruchy stały się bardziej rytmiczne i nagle zawył – nie jęczał, nie przygryzał warg, zawył jak zwierzę! Przebiegło mi przez myśl, że sąsiedzi pewnie wezwą policję, ale nie miało to najmniejszego znaczenia, przeszył mnie dreszcz rozkoszy, bo tak musiało się dziać od zarania dziejów, od kiedy pierwszy mężczyzna posiadł po raz pierwszy kobietę: oni wyli.

A potem przygniótł mnie swoim ciężarem i nie wiem, jak długo leżeliśmy mocno wtuleni w siebie. Głaskałam jego włosy, tak jak owego wieczoru, gdy zamknęliśmy się w ciemności hotelowego pokoju, czu-

łam, jak uspokaja się rytm jego serca, jak jego dłonie wędrują delikatnie po moich ramionach i miałam gęsią skórkę.

Musiał zdać sobie sprawę z tego, jak jest ciężki – bo przewrócił się na bok, ujął moje dłonie i leżeliśmy, wpatrując się w siebie.

– Witaj – szepnęłam.

Przyciągnął mnie, oparł moją głowę na swej piersi i gładził mnie czule, zanim powtórzył „Witaj".

– Sąsiedzi pewnie wszystko słyszeli – powiedziałam, nie wiedząc, co robić, bo mówienie „kocham cię" w takiej chwili nie miało większego sensu: dla nas obojga było to oczywiste.

– Ciągnie od drzwi – szepnął. – Chodźmy do kuchni.

Wstaliśmy i zobaczyłam, że nawet się nie rozebrał. Włożyłam żakiet i poszliśmy do kuchni. Zaparzył kawę, wypalił dwa papierosy. Siedząc naprzeciw mnie przy stole, mówił wzrokiem „dziękuję", a ja odpowiadałam „i ja chcę ci podziękować", lecz nasze usta milczały. 221
Wreszcie ośmielił się i spytał, co znaczą te walizki.

– Wracam do Brazylii jutro w południe.

Kobieta czuje, gdy jakiś mężczyzna jest dla niej ważny. A czy mężczyzna ma podobną intuicję? A może powinnam była raczej powiedzieć: „Kocham cię, chciałabym tu zostać z tobą, poproś, bym została".

– Nie wyjeżdżaj.

Zrozumiał, że może mi to powiedzieć.

– Wyjeżdżam. Złożyłam sobie obietnicę.

Gdybym tego nie zrobiła, uwierzyłabym jeszcze, że tak jak dzisiaj będzie zawsze. A to był tylko świat marzeń dziewczyny z głębokiej prowincji odległego kraju, która przyjeżdża do wielkiego miasta (szczerze mówiąc, wcale nie aż tak dużego) na innym kontynencie, stawia czoło tysiącom przeszkód i spotyka mężczyznę, którego zaczyna kochać. To szczęśliwe zakończenie mojego tutaj pobytu: za każdym razem, gdy pomyślę o Europie, przypomnę sobie zakochanego we mnie mężczyznę, który będzie mój na zawsze, bo poznałam najgłębsze tajniki jego duszy.

Ach, Ralf! Nawet nie wiesz, jak bardzo cię kocham. Sądzę, że zakochujemy się od pierwszego wejrzenia, chociaż rozsądek nam podpowiada, że to pomyłka, i wtedy zaczynamy walczyć z tym instynktownym uczuciem – tak naprawdę wcale nie chcąc zwyciężyć. Ale nadchodzi chwila, gdy uczucie bierze górę, jak tego wieczoru, gdy szłam boso po parku, przezwyciężając ból i przenikliwy chłód, bo wiedziałam, że bardzo mnie kochasz.

Tak, kocham cię, tak jak nigdy nie kochałam żadnego mężczyzny i właśnie z tego powodu odchodzę. Gdybym została, marzenia przyćmiłaby rzeczywistość, chęć posiadania, pragnienie, by twoje życie należało do mnie... wszystko to, co przemienia miłość w niewolę. Tak jest lepiej, niech marzenie pozostanie marzeniem. Musimy troszczyć się o to, co zabieramy z jakiegoś kraju – albo z życia.

– Nie miałaś orgazmu – powiedział zatroskany. Bał się mnie stracić, wydawało mu się, że ma całą noc przed sobą, bym zmieniła zdanie.

– Nie miałam, ale i tak było mi cudownie.

– Wolałbym, żebyś miała orgazm.

– Mogłam udawać tylko po to, żeby ci sprawić przyjemność, ale zasługujesz na coś więcej. Jesteś mężczyzną, z całym pięknem i intensywnością, która się w tym słowie zawiera. Przyszedłeś mi z pomocą i dałeś wsparcie, pozwoliłeś, bym ja cię wspierała i pomogła tobie, i żadne z nas nie czuło się z tego powodu poniżone. Tak, chciałam mieć orgazm, ale nie miałam. Jednak uwielbiałam zimną podłogę, twoje gorące ciało, gwałtowność i siłę, z jaką kochałeś się ze mną.

Poszłam dziś pożegnać się z zaprzyjaźnioną bibliotekarką. Zapytała mnie, czy rozmawiam o seksie z moim partnerem. Miałam ochotę ją spytać: Którym partne-

rem? O jakiego rodzaju seksie? Ale ona na takie pytania nie zasługiwała, zawsze była dla mnie aniołem.

Tak naprawdę miałam tylko dwóch partnerów, odkąd
przyjechałam do Genewy: jednego, który obudził we
mnie to, co najgorsze, bo mu na to pozwoliłam – wręcz
go błagałam. Drugim byłeś ty. Dzięki tobie znów czuję,
że żyję. Chciałabym móc nauczyć cię, jak dotykać mojego ciała, z jaką siłą, jak długo, bo wiem, że nie poczytał-
byś tego za oskarżenie czy skargę, lecz sposób, by pomóc
naszym ciałom i duszom pełniej się zespolić. Sztuka miłości jest jak twoje malarstwo: wymaga techniki, cierpliwości, a przede wszystkim eksperymentowania we dwoje. Wymaga odwagi, trzeba posunąć się dalej, poza to, co
zwykło się nazywać „uprawianiem miłości".

No tak. Wcieliłam się w rolę nauczycielki – nie
chciałam tego, ale Ralf potrafił temu zaradzić. Zapalił
trzeciego papierosa w ciągu półgodziny i zamiast wziąć
moje słowa za dobrą monetę, rzekł:

– Po pierwsze, spędzisz noc tutaj.

To nie była prośba, to był rozkaz.

– Po drugie, znów będziemy się kochać, z mniejszym
napięciem, za to z większym pożądaniem. I wreszcie
chciałbym, abyś ty również lepiej rozumiała mężczyzn.

Lepiej rozumieć mężczyzn? Spędziłam tutaj z nimi
wszystkie noce, z białymi, czarnymi, z Azjatami, Ży-
dami, muzułmanami, buddystami! Czyżby o tym za-
pomniał?

Zrobiło mi się lżej na duszy. Dobrze, że rozmowa
przybrała taki obrót. W pewnej chwili zaczęłam nawet
się zastanawiać, czy nie poprosić Boga o wybaczenie
i jakoś wymigać się od obietnicy. Ale rzeczywistość
przywołała mnie do rozsądku – nie miałam zamiaru
wpadać w pułapki przeznaczenia.

– Tak, lepiej rozumieć mężczyzn – powtórzył Ralf,
widząc mój ironiczny uśmiech. – Mówisz o wyrażaniu
swej seksualności, o pomaganiu mi w żeglowaniu
po twoim ciele, o cierpliwości, o czasie. Dobrze, ale czy

przyszło ci do głowy, że różnimy się, przynajmniej jeże-
li chodzi o czas? Dlaczego nie poskarżysz się Bogu?
  Kiedy się spotkaliśmy, poprosiłem, byś nauczyła
mnie seksu, bo moje pożądanie umarło. A wiesz dla-
czego? Bo po kilku latach wszystkie moje związki spro-
wadzały się do nudy i frustracji. Zrozumiałem, jak
trudno jest dać kobietom, które kochałem, tę samą roz-
kosz, jaką one dawały mnie.
  „Kobietom, które kochałem", to mi się nie spodoba-
ło, ale udałam obojętność, zapalając papierosa.
  – Nie miałem odwagi powiedzieć żadnej z nich: naucz
mnie swego ciała. Ale w tobie od razu zobaczyłem świa-
tło i pokochałem cię od pierwszego wejrzenia. Pomyśla-
łem sobie, że na tym etapie mojego życia nie mam już nic
do stracenia i mogę być wreszcie uczciwy wobec siebie
i wobec kobiety, którą chciałbym mieć u swego boku.
  Papieros był cudowny, miałam ochotę na lampkę
wina, ale wolałam nie zmieniać tematu.
  – Dlaczego mężczyźni myślą tylko o seksie? Dlacze-
go nie traktują kobiet tak jak ty mnie? Dlaczego nie za-
stanawiają się, co one czują?
  – A kto powiedział, że my myślimy tylko o seksie?
Wręcz przeciwnie, za wszelką cenę chcemy sprostać
oczekiwaniom kobiet, choć tak naprawdę niewiele
o tych oczekiwaniach wiemy. Uczymy się miłości z pro-
stytutkami i dziewicami, opowiadamy niestworzone
historie o naszej potencji. Starzejąc się, prowadzamy
się pod rękę z coraz młodszymi kochankami, a wszyst-
ko po to, by udowodnić sobie i innym, że potrafimy za-
spokoić potrzeby kobiet.
  Ale to nieprawda! Nie rozumiemy nic! Sądzimy, że
seks i wytrysk to jedno i to samo, a jak wiesz, wcale tak
nie jest. Trudno się nam czegokolwiek nauczyć, bo nie
mamy odwagi powiedzieć kobiecie: naucz mnie swoje-
go ciała. Ale kobiety również nie mają odwagi powie-
dzieć: staraj się mnie poznać. Zadowalamy się prymi-
tywnym instynktem przetrwania gatunku, koniec,

*kropka. Choć może ci się to wydać niedorzeczne, zgad-
nij, co dla mężczyzny liczy się bardziej niż seks?
Pomyślałam, że może pieniądze albo władza, ale nie
odezwałam się ani słowem.
— Sport. Bo mężczyzna rozumie ciało drugiego mężczyzny. W sporcie możliwy jest dialog ciał, które się rozumieją.
— Jesteś szalony!
— Być może. Ale to ma sens. Czy zastanawiałaś się,
co czują mężczyźni, z którymi szłaś do łóżka?
— Tak, brakowało im pewności siebie, bali się.
— To więcej niż strach, to bezbronność. Bali się, bo
łatwo ich zranić. Bo nic tak naprawdę nie wiedzą o seksie, choć wszyscy twierdzą uparcie, że to takie ważne.
„Seks, seks, i jeszcze raz seks — oto sól życia!", głoszą re-
klamy, gazety, filmy, książki. Choć nikt nie wie, o co
tak naprawdę chodzi, wiadomo tylko — bo instynkt jest
od nas silniejszy — że trzeba to robić. I tyle.*

*Dość. Wygłaszaliśmy przemądrzałe tyrady, jedno
bowiem ciągle starało się zrobić dobre wrażenie na drugim. Było to tak głupie, tak niegodne naszej miłości!
Uklękłam, rozebrałam go. Jego członek nie zareago-
wał. Ralf nie był tym zmieszany. Zaczęłam całować
wewnętrzną stronę jego uda. Jego członek powoli na-
brzmiewał. Pieściłam go, wzięłam do ust. Całowałam
go tak czule, jak ktoś, kto niczego nie oczekuje i właśnie dlatego wszystko dostaje. Widziałam, że Ralf jest
coraz bardziej podniecony, zaczął pieścić moje sutki.
Nie zdjął ze mnie żakietu. Położył mnie na brzuchu
na kuchennym stole. Wszedł we mnie powoli, tym razem bez napięcia, bez obawy, że mnie straci — bo w głębi duszy zrozumiał już, że to tylko sen, który na zawsze
pozostanie snem.
Czułam go w sobie i czułam jego dłonie na piersiach, na pośladkach, dotykał mnie tak, jak potrafi jedynie kobieta. Zrozumiałam wtedy, że jesteśmy dla sie-*

bie stworzeni, bo on potrafił stać się kobietą, tak jak ja mogłam stać się mężczyzną, gdy rozmawialiśmy, czy stawialiśmy pierwsze kroki na spotkanie zagubionych połówek, dwóch cząsteczek, które musiały się połączyć, by świat stał się pełnią.

Ralf obejmował teraz nie tylko mnie, nie tylko mnie posiadał, lecz cały świat. Mieliśmy dla siebie czas, wiele czułości i rozumieliśmy się wzajemnie.

Znieruchomiał we mnie, jego palce pieściły delikatnie moją łechtaczkę i przeżyłam pierwszy, potem drugi i wreszcie trzeci orgazm. Miałam ochotę go odepchnąć. Rozkosz była tak silna, że niemal bolesna, ale tego właśnie chciałam...

...i nagle rozbłysło we mnie szczególne światło. Byłam w raju. Byłam ziemią, górami, strumykami płynącymi ku rzekom, rzekami wpadającymi do morza. Poruszał się we mnie coraz szybciej, a ból mieszał się z rozkoszą, chciałam krzyczeć, że już nie mam sił, ale jak miałam to zrobić, skoro on i ja staliśmy się jednością?

Pozwoliłam, by był we mnie tak długo, dopóki chciał, a ja, leżąc płasko na brzuchu na kuchennym stole, myślałam, że nie ma lepszego miejsca na świecie, by się kochać. I znów coraz szybszy oddech, paznokcie wpijające się w moją skórę, ciało przy ciele. Zmierzaliśmy oboje do kolejnego orgazmu i nie było w tym cienia obłudy.

– Lecimy!

Oboje czuliśmy, że nadchodzi ta chwila. Moje ciało rozluźniło się, nie byłam już sobą – nic już nie słyszałam, nic nie widziałam, nie miałam żadnych pragnień, żadnych oczekiwań – byłam tylko doznaniem.

– Lecimy!

I poleciałam razem z nim. To nie było jedenaście minut, ale cała wieczność, to było tak, jakbyśmy oboje wyszli z naszych ciał i przechadzali się po rajskich ogrodach, przepełnieni radością, zrozumieniem i głęboką życzliwością. Byłam kobietą i mężczyzną, on był męż-

226

czyzną i kobietą. Nie wiem, ile czasu to trwało, lecz wszystko wydawało się bezgłośne, zatopione w modlitwie, wszechświat i życie stały się święte, bezimienne, ponadczasowe.

Lecz wkrótce czas powrócił, usłyszałam krzyk Ralfa i krzyczałam wraz z nim, nogi stołu stukotały z impetem o podłogę i żadnemu z nas nie przyszło do głowy, by zastanawiać się, co sądzi o tym reszta świata. Wyszedł ze mnie bez ostrzeżenia. Śmiałam się, odwróciłam się do niego i widziałam, że on też się śmiał. Przylgnęliśmy do siebie mocno, jakbyśmy kochali się po raz pierwszy w życiu.

– Pobłogosław mnie – powiedział.

Pobłogosławiłam. Poprosiłam, by zrobił to samo, a on powiedział: „Błogosławiona niech będzie ta kobieta, którą bardzo kocham". Jego słowa były piękne, znów padliśmy sobie w ramiona i tak trwaliśmy, nie rozumiejąc, w jaki sposób jedenaście minut może doprowadzić mężczyznę i kobietę do takiej ekstazy.

Nie byliśmy zmęczeni. Poszliśmy do salonu, Ralf włączył muzykę i zrobił dokładnie to, na co czekałam: rozpalił ogień w kominku i nalał mi wina. Potem otworzył książkę i przeczytał:

227

Jest czas rodzenia i czas umierania,
Czas sadzenia i czas wyrywania tego, co zasadzono,
Czas zabijania i czas leczenia,
Czas burzenia i czas budowania,
Czas płaczu i czas śmiechu,
Czas zawodzenia i czas pląsów,
Czas rzucania kamieni i czas ich zbierania,
Czas pieszczot cielesnych i czas wstrzymywania się od nich,
Czas szukania i czas tracenia,
Czas zachowania i czas wyrzucania,
Czas rozdzierania i czas zszywania,
Czas milczenia i czas mówienia,
Czas miłowania i czas nienawiści,
Czas wojny i czas pokoju.

Brzmiało to jak pożegnanie, lecz były to najpiękniejsze słowa pożegnania, jakie kiedykolwiek w życiu słyszałam. Objęłam go mocno ramionami, przytulił mnie, ułożyliśmy się wygodnie na dywanie przed kominkiem. Uczucie błogości trwało, jakbym od zawsze była kobietą mądrą, szczęśliwą, spełnioną.

– Jak mogłeś zakochać się w prostytutce?

– Z początku sam tego nie rozumiałem. Ale dziś, gdy się nad tym zastanawiam, myślę tak: skoro wiedziałem, że twoje ciało nigdy nie będzie należało tylko do mnie, mogłem się skupić na zjednaniu sobie twojej duszy.

– A zazdrość?

– Nie można powiedzieć o wiośnie: „Oby szybko nadeszła i trwała długo", lecz tylko: „Niech nadejdzie, pobłogosławi mnie swą nadzieją i zostanie, jak długo będzie mogła".

Słowa rzucone na wiatr. Ale ja chciałam je usłyszeć, a on chciał je wypowiedzieć. Zasnęłam i śniłam o ulotnej, delikatnej woni, która unosiła się nad nami, o zapachu, który wypełniał wszystko.

Gdy Maria otworzyła oczy, kilka promieni słońca wdzierało się już przez przymknięte okiennice. „Kochałam się z nim dwa razy – pomyślała, patrząc na śpiącego przy niej mężczyznę. – A jednak mam wrażenie, jakbyśmy zawsze byli razem, jakby od zawsze znał moje życie, moją duszę, moje ciało, moje światło, mój ból".

Wstała i poszła do kuchni zrobić kawę. Natknęła się na dwie walizki w przedpokoju i w jednej chwili przypomniała sobie wszystko: własne postanowienie, modlitwę w kościele, swoje marzenie, które domaga się, by stać się rzeczywistością i utracić swój czar, idealnego mężczyznę, miłość, jedność ciała i duszy.

Mogła zostać. Nie miała nic do stracenia, może poza jeszcze jednym złudzeniem. Pomyślała o słowach: *Czas płaczu i czas śmiechu*. Lecz było też inne zdanie: *Czas pieszczot i czas rozłąki*. Zaparzyła kawę, zamknęła drzwi do kuchni i przez telefon zamówiła taksówkę. Zebrała całą siłę woli, która zawiodła ją tak daleko. Jej „wewnętrzne światło" ochroni ją teraz i pozwoli, by pozostało w jej pamięci nieskalane wspomnienie tej nocy. Ubrała się, wzięła walizki i wyszła, mając cichą nadzieję, że on się obudzi i przekona ją, by została.

Ale on się nie obudził.

Gdy czekała na taksówkę, podeszła do niej Cyganka z kwiatami. Maria kupiła od niej mały bukiet. Nadeszła już jesień, lato się skończyło. Przez długi czas nie będzie już w Genewie gwarnych stolików w kawiarnianych ogródkach ani zaludnionych parków skąpanych w słońcu. Nie miała czego żałować. Odjeżdżała, bo taki był jej wybór, nie było nad czym rozpaczać.

Dotarła na lotnisko, zamówiła kawę, czekała cztery godziny na samolot do Paryża, wciąż łudząc się, że on zjawi się lada chwila, skoro tuż przed zaśnięciem podała mu godzinę odlotu. Tak działo się na filmach: w końcowej scenie, gdy kobieta właśnie wsiada do samolotu, zjawia się zadyszany mężczyzna, chwyta ją w ramiona, całuje i zabiera do swojego świata. Na ekranie pojawia się słowo „koniec", ale wszyscy widzowie są pewni, że od tej pory kobieta i mężczyzna żyć będą długo i szczęśliwie.

„Filmy nigdy nie opowiadają o tym, co dzieje się potem – mówiła sobie na pocieszenie. – Ślub, kuchnia, dzieci, seks, który schodzi na coraz dalszy plan, odkrycie pierwszego miłosnego liściku od kochanki, awantura, obietnica męża, że to się już nie powtórzy, drugi liścik miłosny od innej kochanki – znów awantura i groźba rozwodu, ale tym razem mąż nic nie obiecuje, tylko zapewnia żonę, że ją kocha. Przy trzecim miłosnym liściku od trzeciej kochanki żona postanawia to przemilczeć, udaje, że o niczym nie wie, z obawy że usłyszy, że on już jej nie kocha, że chce odejść. Nie, filmy o tym nie opowiadają. Kończą się właśnie wtedy, kiedy zaczyna się prawdziwe życie. Lepiej o tym nie myśleć".

Przeczytała jedno, dwa, trzy czasopisma. Wreszcie, po całej wieczności spędzonej w poczekalni, zapowiedziano jej lot. Weszła na pokład samolotu. Wyobraziła sobie jeszcze wspaniałą scenę, w której, gdy już zapnie pasy, poczuje na ramieniu czyjąś dłoń, odwróci się i będzie tam Ralf. Uśmiechnięty od ucha do ucha.

Ale nic takiego się nie wydarzyło.

Przespała cały lot z Genewy do Paryża. Nie zastanawiała się jeszcze nad tym, co powie rodzicom, ale na pewno będą szczęśliwi, że wróciła, że kupi gospodarstwo i zapewni im dostatnią starość.

Obudził ją wstrząs przy lądowaniu. Stewardesa wytłumaczyła jej, że musi zmienić terminal, gdyż samolot lecący do Brazylii odlatuje z terminalu F, a przylecieli na C. Ale nie było powodu do obaw, samolot wylądował bez opóźnienia, miała dużo czasu, a jeżeliby sobie tego życzyła, obsługa pomoże jej odnaleźć drogę.

Zastanawiała się, czy nie warto spędzić jednego dnia w Paryżu, choćby po to, by zrobić kilka zdjęć i móc pochwalić się znajomym, że zwiedziła to miasto. Poza tym potrzebowała czasu dla siebie i trochę samotności – musiała głęboko ukryć wspomnienie poprzedniej nocy, by móc karmić się nim za każdym razem, gdy będzie chciała poczuć, że na nowo żyje. Tak, Paryż to doskonały pomysł. Zapytała stewardesy o następny lot do Brazylii, na wypadek gdyby zdecydowała się zostać w Paryżu.

Okazało się jednak, że jej bilet nie pozwala na przerwę w podróży. Maria pocieszała się, że samotne zwiedzanie tak pięknego miasta na pewno by ją przygnębiło. Udało się jej dotąd zachować spokój. Nie popsuje teraz wszystkiego tylko dlatego, że za kimś tęskni.

Wysiadła z samolotu i przeszła kontrolę paszportową. Jej bagaż miał być przewieziony bezpośrednio do drugiego samolotu. Pasażerowie ściskali witających: małżonków, rodziców, dzieci. Maria udała, że jej to nie obchodzi, choć znów, jak dawniej, poczuła się bardzo samotna. Tylko że teraz miała swoją tajemnicę, marzenie, nie była już tak zgorzkniała, życie stanie się łatwiejsze.

– Paryż zawsze tu będzie.

To nie był przewodnik. To nie był taksówkarz. Nogi ugięły się pod nią, gdy usłyszała jego głos.

– Paryż zawsze tu będzie?

– To zdanie z filmu, który uwielbiam. Chcesz zobaczyć wieżę Eiffla?

Tak, bardzo chciała. Ralf trzymał w ręku bukiet róż, oczy miał pełne blasku, tego samego, który dostrzegła pierwszego dnia, gdy malował jej portret.

– Jakim cudem znalazłeś się tu przede mną? – spytała zaskoczona. Jego odpowiedź nie miała najmniejszego znaczenia, lecz potrzebowała trochę czasu, by wziąć się karby.

– Na lotnisku w Genewie widziałem, że coś czytasz. Mogłem podejść do ciebie, ale jestem romantykiem, nieuleczalnym romantykiem i pomyślałem, że lepiej będzie skorzystać z pierwszego lotu do Paryża, powałęsać się po lotnisku, poczekać trzy godziny, sprawdzać w kółko rozkład lotów, kupić ci kwiaty, wypowiedzieć zdanie, które Ricky mówi swojej ukochanej w Casablance, zobaczyć zaskoczenie na twojej twarzy, upewnić się, że jednak na mnie czekałaś. A poza tym nic nie szkodzi być tak romantycznym jak w kinie, prawda?

Nie wiedziała, szkodzi czy nie, ale teraz nie miało to żadnego znaczenia. Wiedziała natomiast, że kochali się po raz pierwszy kilka godzin wcześniej, że została przedstawiona jego przyjaciołom poprzedniego dnia, wiedziała również, że bywał w nocnym lokalu, gdzie pracowała, i że był dwukrotnie żonaty. Nie były to nieskazitelne referencje. Ale też miała pieniądze, by kupić wymarzoną farmę, młodość przed sobą, spore życiowe doświadczenie, dużą duchową niezależność. A skoro do tej pory wyborów dokonywał za nią los, pomyślała, że może zaryzykować raz jeszcze.

Nie obchodziło jej już, co dzieje się po tym, jak na ekranie pojawia się napis „koniec". Pocałowała Ralfa. Jeżeli kiedyś zechce opowiedzieć historię swego życia, zacznie ją jak bajkę: *Była sobie raz prostytutka...*

Od autora

Jak chyba wszystkim – w tym akurat przypadku uogólniam bez wahania – zajęło mi trochę czasu odnalezienie uświęconego sensu seksualności. Moja młodość przypadła na czasy skrajnej swobody seksualnej, odkryć i wybryków, po których nastąpił okres ascetyzmu i pokuty – trzeba było zapłacić cenę za lata rozpusty.

W czasie tej dekady swawoli, przypadającej na lata siedemdziesiąte, Irving Wallace wydał powieść o cenzurze w Stanach Zjednoczonych. Opisał w niej machinacje wymiaru sprawiedliwości mające doprowadzić do zakazu publikacji książki na temat seksu zatytułowanej *Siedem minut*.

W powieści Wallace'a rękopis książki stanowi jedynie pretekst do dywagacji na temat cenzury, motyw seksu jako takiego pojawia się rzadko. Często zadawałem sobie pytanie, jak mogłoby wyglądać to dzieło. A gdybym podjął się jego napisania?

Tak się jednak składa, że w swej powieści Wallace często przytacza ten fikcyjny rękopis, co sprawiło, że wykonanie tego zadania stało się niemożliwe. W pamięci zachowałem tylko tytuł (notabene uważam, że Wallace bardzo ograniczył ten czas, co pozwoliłem sobie nieco zmienić) oraz pogląd, że o seksie należy mówić poważnie – co zresztą zrobiło już wielu pisarzy.

W 1997 roku, wkrótce po spotkaniu z czytelnikami w Mantui, w recepcji hotelu, w którym się zatrzymałem, ktoś zostawił dla mnie rękopis książki. Zazwyczaj nie czytuję rękopisów, ale ten przeczytałem jednym tchem. Była to historia brazylijskiej prostytutki, jej perypetie, kłopoty z prawem. W 2000 roku, będąc przejazdem w Zurychu, skontaktowałem się telefonicznie z tą kobietą, która przybrała pseudonim Sonia. Powiedziałem jej, że tekst mi się spodobał, i poradziłem, by wysłała go do mojego brazylijskiego wydawcy, który jednak nie zdecydował się go opublikować. Sonia przyjechała do Zurychu i zaprosiła nas – mojego przyjaciela, reporterkę z dziennika „Blick", która właśnie przeprowadzała ze mną wywiad, i mnie – na Langstrasse w tamtejszej dzielnicy „czerwonych latarni". Nie miałem pojęcia, że Sonia uprzedziła swoje koleżanki o naszej wizycie, i ku mojemu wielkiemu zaskoczeniu przyszło mi podpisywać tam moje książki w wielu językach.

Już wtedy podjąłem decyzję pisania o seksie, ale nie miałem jeszcze ani fabuły, ani głównego bohatera. Myślałem o historii ukierunkowanej na poszukiwanie świętości, lecz to spotkanie na Langstrasse olśniło mnie: aby pisać o uświęconym wymiarze seksu, trzeba najpierw zrozumieć, dlaczego jest tak często bezczeszczony.

Zapytany przez dziennikarza szwajcarskiego pisma „L'Illustré", opowiedziałem mu anegdotę o zaimprowizowanym podpisywaniu książek na Langstrasse, co zaowocowało wielkim reportażem na ten temat. Po opublikowaniu tego reportażu pewnego popołudnia w genewskiej księgarni, gdzie rozdawałem autografy, pojawiło się wiele prostytutek z moimi książkami do podpisu. Jedna z nich szczególnie przykuła moją uwagę i wraz z moją agentką i przyjaciółką, Mônicą Antunes, zaprosiliśmy ją na kawę, która przerodziła się w kolację i w kolejne spotkania przez następne dni. Tak zrodziła się myśl przewodnia *Jedenastu minut*.

Chciałbym podziękować Annie von Planta, mojej szwajcarskiej wydawczyni, za niezmiernie ważne informacje dotyczące sytuacji prawnej prostytutek w jej kraju, jak również następującym kobietom z Zurychu (są to oczywiście ich pseudonimy): Soni, którą już znałem z Mantui (może pewnego dnia kogoś zainteresuje jej książka!), Marcie, Antenorze i Isabelli, oraz z Genewy (również pseudonimy): Amy, Lucii, Andrei, Vanessie, Patrick, Theresie i Annie Christinie.

Dziękuję także Antonelli Zara, która pozwoliła mi wykorzystać fragmenty swej książki *Nauka o namiętności*, by wzbogacić niektóre partie pamiętnika Marii.

Wreszcie dziękuję Marii (pseudonim), która mieszka dziś w Lozannie, jest mężatką, ma dwie córki. To ona podzieliła się ze mną i Mônicą swoją historią, będącą kanwą tej książki.

Paulo Coelho

PAULO COELHO

Urodził się 24 sierpnia 1947 r. w Rio de Janeiro.
Studiował prawo, które porzucił, by podróżować po obu Amerykach,
Europie i północnej Afryce. Zanim stał się pisarzem, był scenarzystą,
dyrektorem teatru, autorem tekstów piosenek. Na początku swojej
kariery pisał teksty dla najbardziej znanych gwiazd brazylijskiej
muzyki popularnej, takich jak: Elis Regina, Maria Bethania
czy Raul Seixas. Był dyrektorem artystycznym wytwórni płytowych
Polygram i CBS. Pracował jako dziennikarz dla tygodnika „O Globo",
pisywał scenariusze dla telewizji „O Globo".
W brazylijskiej i światowej prasie ukazało się wiele jego artykułów.
Od lat prowadzi swoje rubryki w różnych gazetach i magazynach
na całym świecie. W Polsce od maja 2002 roku jego felietony
można przeczytać w miesięczniku „Zwierciadło".
W roku 1986, wiedziony wewnętrzną potrzebą, przewędrował
tradycyjną drogą pielgrzymów do Santiago de Compostela.
Z tej wędrówki narodziła się pierwsza książka *Diario de um Mago*.
Jego druga powieść – *Alchemik* – sprawiła, że w ciągu niespełna
paru lat stał się jednym z piętnastu najbardziej poczytnych pisarzy
współczesnych (według „Le Nouvel Economiste"). W 155 krajach
na całym świecie sprzedano 43 miliony egzemplarzy jego książek.
W Polsce od listopada 1995 – czyli od ukazania się *Alchemika*
– sprzedano już blisko półtora miliona egzemplarzy.
Krytycy podziwiają szczególnie jego poetycki i filozoficzny styl
oraz symboliczny język, który przemawia nie do rozumu, lecz do serc.
Jest doradcą UNESCO w programie Spiritual Convergences
and Intercultural Dialogues, a w latach 1998-2004 był gościem
specjalnym na Światowym Szczycie Ekonomicznym w Davos,
gdzie w roku 2000 został uhonorowany prestiżową nagrodą
Crystal Award'99.

INNE KSIĄŻKI WYDAWNICTWA DRZEWO BABEL:

Grzegorz Brzozowicz • **Goran Bregović, szczęściarz z Sarajewa**
wrzesień 1999

Edward Lear • **Dong co ma świecący nos**
grudzień 1999

Gibran Khalil Gibran • **Szaleniec**
czerwiec 2002

Idries Shah • **Mądrość głupców**
lipiec 2002

Wojciech Eichelberger, Renata Dziurdzikowska • **Mężczyzna też człowiek**
grudzień 2002

Idries Shah • **Zaczarowana świątynia**
kwiecień 2003

Idries Shah • **Wyczyny niezrównanego hodży Nasreddina**
grudzień 2003

Idries Shah • **Fortele niewiarygodnego hodży Nasreddina**
kwiecień 2004

W PRZYGOTOWANIU:

Vedrana Rudan • **Ucho, gardło, nóż...**
listopad 2004

Idries Shah • **Żarty niedoścignionego hodży Nasreddina**
grudzień 2004